PROFIL DOSSIER

Collection Profil dirigée par Georges Décote
Série Dossier sous la direction de Janine Brémond

ÉCONOMIE – SOCIOLOGIE – SCIENCES SOCIALES

La France depuis 1945

Marie-Christine FERRANDON
Isabelle WAQUET
Professeurs de Sciences économiques et sociales.

2e édition

Sommaire

ISSN 0222-8289 ISBN 2-218-06383-2

Présentation

★ **Quelques dates clefs** peuvent servir de repères à une approche de la société française de 1945 à nos jours. Ce sont d'abord de grands événements :

1944 : la Libération.
1954 : fin de la guerre d'indochine.
1957 : signature du Traité de Rome.
1958 : Ve République.
1962 : fin de la guerre d'Algérie.
1968 : événements de mai-juin.
1973 : crise du pétrole.
mai-juin 81 : élection à la Présidence de la République de F. Mitterrand.
Le parti socialiste obtient la majorité absolue à l'Assemblée nationale.
Des ministres communistes entrent au Gouvernement.

Mais d'autres dates sont aussi importantes :

1945 : création des comités d'entreprise; de la Sécurité sociale; nationalisations.
1950 : création du S.M.I.G.
1967 : libéralisation de la contraception.
1968 : institution de la section syndicale d'entreprise.
1974 : libéralisation de l'avortement.
1975 : réforme du divorce.
juillet 1981 : cinquième semaine de congés payés abaissement à 39 heures de la durée hebdomadaire du travail
1982 : nationalisations.

Ces points de repères s'inscrivent dans un processus de transformation de la société. L'industrialisation, l'exode rural, la croissance, l'urbanisation, l'ouverture sur l'extérieur ont accompagné et suscité une élévation du niveau de vie, un bouleversement des modes de vie.

La crise, la montée du chômage, l'accélération de l'inflation qui ont marqué les années 70 ne cessent d'interroger économistes et hommes politiques.

★ **Le tournant des années 60 :** dans tous les domaines, la fin des années 50, le début des années 60 marquent un tournant décisif. Il est possible d'en découvrir les composantes dans chacune des parties de cet ouvrage. Nous en donnons quelques exemples : nouveau régime politique, ouverture des frontières, désengagement de l'État, baisse de la natalité, montée du chômage, concentration des entreprises, nouveau rôle des banques...

★ **Le tournant de 1973 :** depuis cette date la France est aux prises avec des difficultés sérieuses : aggravation du chômage, de l'inflation, croissance ralentie, contrainte extérieure. Faut-il seulement incriminer la hausse du prix du pétrole, la concurrence des pays à bas salaires, le dérèglement du Système monétaire international? Ne faut-il pas aussi rechercher dans le processus de croissance, le type d'industrialisation, les causes internes de la crise?

★ N'y a-t-il toujours qu'une politique possible? On peut se le demander aujourd'hui face à la crise. On peut aussi se le demander en étudiant l'évolution des 20 dernières années. Tous ces changements étaient-ils inéluctables? Ont-ils été le fruit de choix mûrement réfléchis? D'autres types de société, d'autres façons de produire, de consommer... étaient-ils envisageables?

★ **Le tournant de 1981 :** l'arrivée de la gauche au pouvoir, la mise en œuvre d'une nouvelle politique économique seront-elles de nature à modifier de façon radicale la société française? à trouver des solutions nouvelles pour sortir de la crise?

- En quoi la société française de 1981 est-elle différente de celle de 1945? La réponse à cette question est l'objet de la première partie.

- De 1945 à 1973, l'économie a connu une période de croissance exceptionnelle dans l'histoire de la France. Il est courant d'affirmer que la crise remonte à 1973. Dans quelle mesure cette assertion est-elle conforme à la réalité? (deuxième partie).

- Comment peut s'expliquer cette croissance économique exceptionnelle : c'est ce que nous tenterons d'expliquer dans la troisième partie.

- L'ouverture sur l'extérieur a été un des changements les plus marquants de ces vingt dernières années. Comment les entreprises françaises ont-elles réagi à la concurrence internationale? Quel type de contrainte l'évolution des échanges fait-elle peser sur la politique économique? (quatrième partie).

- La situation de la France dans la division internationale du travail dépend de la puissance de son industrie. C'est elle que nous examinons dans une cinquième partie. La France est-elle un pays industrialisé? Comment peut-on expliquer le mouvement de substitution du capital au travail? Dans quelle mesure le processus d'industrialisation a-t-il contribué à la montée du chômage et de l'inflation?

- Qui contrôle l'économie française? Dans cette sixième partie nous avons voulu conclure en posant une question à nos yeux fondamentale : comment se définit aujourd'hui le capitalisme français? Qui détient le pouvoir? Est-il possible de découvrir les principaux centres de décision?

1 1945-1981 : Une société en mutation

En 35 ans, la société française s'est transformée. Un revenant s'étonnerait des progrès accomplis (document 1) et des changements survenus (documents 2 et 3). Aucun domaine n'a été épargné : vie politique (documents 4, 5 et 6), conditions de vie (documents 7, 8, 14 à 16) et activités économiques (documents 9 à 13).

Changements mineurs ou transformation radicale?

L'élévation du niveau de vie ne saurait en tout cas masquer la persistance des inégalités (document 17).

*

A. LA FRANCE A CHANGÉ

1. Le revenant

En vingt-cinq ans [...] les Français ont bénéficié du progrès matériel le plus important, le plus rapide de toute leur histoire et cela sur tous les tableaux. [...] Les progrès suivants ont été accomplis :
- *niveau de vie* (ou *pouvoir d'achat*) plus que doublé. Le chômeur d'aujourd'hui peut acheter notablement plus de choses que le travailleur à plein temps, naguère,
- *alimentation fortement améliorée.* La consommation de viande, de beurre, de fruits, etc., a fortement augmenté, en particulier dans les classes modestes, [...]

- plus de *logements* construits en vingt ans, qu'en trois quarts de siècle auparavant, et d'une bien meilleure qualité,
- quatre semaines de *congé* et bientôt cinq, au lieu de deux. Diffusion des voyages,
- *enseignement* du second degré étendu à toutes les classes sociales. Enseignement supérieur largement étendu,
- *retraites* pour tous,
- soins de *santé* généralisés,
- *vie moyenne* allongée de plus de dix ans,
- enfin le *carrosse,* ce luxe de nos pères, a été popularisé, tout en bénéficiant d'incomparables progrès, en vitesse, confort, commodité.

A. Sauvy, *La tragédie du pouvoir,* Éditions Calmann-Lévy, 1978.

Devant ce résultat, faisons, par curiosité, revenir un homme du passé, un revenant de 1850, de 1900, ou même de 1939, et demandons-lui ce qu'il en pense. Il va s'écrier : « Mais c'est formidable! Aucune revendication n'osait aller jusque-là! Comme vous devez être satisfaits et heureux, comme vous devez avoir une vie agréable et tranquille, et quel respect doivent inspirer aux jeunes, les aînés qui ont donné tout cela. » Tandis qu'il dit cela cet homme, ce revenant, votre figure devient plus sombre. « Non, dites-vous, cela ne va pas, les travailleurs ne sont pas contents de leur sort, du haut en bas de l'échelle les hommes se plaignent de la rigueur de leurs impôts et de leur vie tourbillon, les paysans voient la terre s'évanouir sous leurs pieds, les vieux se plaignent de l'abandon où ils sont laissés, et les jeunes, les plus favorisés d'entre eux, ceux qui sont appelés à gagner les sommets de la société, parlent tout simplement de la briser, de la détruire. »

C'est que nous souffrons des dislocations du développement.

A. Sauvy, In « Bilan de la France 1945-70 », Colloque de l'Association de la Presse étrangère, Éditions Plon, 1971.

Quiconque regarde autour de soi trouve notre société chargée de malfaçons. Voici déjà quelques reproches courants, sur le plan matériel :
- rémunérations trop faibles
- production de richesses insuffisante
- déperditions et gaspillages
- retard de l'outillage et de l'équipement
- déficience des services publics
- répartition injuste des ressources

- chômage étendu
- impôts élevés et mal répartis
- congestion des villes, nuisances
- sacrifice de la nature
- pénurie d'énergie
- déficit des comptes envers l'étranger.

A cette brochette, il faut ajouter des défauts organiques, plus difficiles à mesurer :
- exclusion des jeunes et révolte, logique, de leur part
- enseignement inadapté, université en dégradation continue
- inégalité sociale devant l'enseignement et l'emploi
- information lacunaire ou contre-information
- aliénation des travailleurs, exclusion de la gestion
- libertés menacées
- criminalité et violences. [...]
- marche à la vieillesse, par effondrement de la natalité et renonciation à la jeunesse.

A. Sauvy, *La tragédie du pouvoir,* op. cit.

2. Un nouveau mode de vie

L'urbanisation

La population urbaine représente 53 % du total en 1946 et 70 % en 1968[1]. Le mode de vie urbain est donc maintenant celui de la grande majorité des Français d'autant que, par le développement des communications et des modèles de comportement qu'il véhicule, il en vient à influencer même ceux qui ne vivent pas en ville. L'automobile et la télévision, le réfrigérateur et la machine à laver, la clinique et la grande surface, s'imposent pour les ruraux comme pour les citadins. On est passé d'un espace à dominante naturelle, qui était celui de la vie des champs, à l'espace construit de la vie urbaine. [...]

La diffusion de l'éducation

Cette période est marquée par un accroissement considérable de la scolarisation au niveau des enseignements du second degré et du supérieur qui, jusqu'alors réservés à une minorité, s'ouvrent, désormais, beaucoup plus largement. Cet accroissement ne s'explique que dans une très faible mesure par le renouveau démographique de l'après-guerre. Il fait passer de 1 110 000 en

1. 72,9 % en 1975.

1950 à 4 646 000 en 1971 les effectifs du second degré, public et privé et, dans le même temps, de 134 000 à 777 000 le nombre des étudiants. Certes, système éducatif et système économique ne sont pas exactement « en phase », il s'en faut de beaucoup, et l'apport de l'école ne s'identifie pas à la diffusion de « l'impératif industriel » ou des bienfaits de la consommation. Il n'empêche qu'elle apporte à ceux qui passent par elle de nouveaux modèles culturels et peut les induire aussi à de nouveaux comportements, tant dans leurs relations de travail que dans leur mode d'existence. [...]

Une société de consommation?

Le salaire réel avait relativement stagné à la fin de la période précédente. De 1914 à 1954, date où le niveau d'avant-guerre est retrouvé, soit sur une période de quarante ans, il n'avait augmenté, selon les estimations, que de 20 à 50 %. Pendant les vingt années suivantes, il va au moins doubler. L'utilisation de ce pouvoir d'achat supplémentaire modifie les structures de consommation. La part de l'alimentation ou de l'habillement diminue. Celle des transports, des loisirs, du logement, de l'hygiène et des soins augmente, cependant que se développent aussi les consommations collectives.

Mais l'essentiel est ailleurs. Il réside dans le fait que, études de marché et campagnes promotionnelles aidant, tout va pouvoir devenir marchandise. Le domaine des services, en particulier, offre un champ illimité à l'esprit d'entreprise. On vend des vacances, de la formation, des conseils en tous genres. L'obsolescence programmée des objets oblige à leur renouvellement. Les innovations, réelles ou factices, entraînent de nouveaux achats. Finis les trousseaux qui duraient toute une vie. Périmées la ménagère qui faisait ses confitures ou la mère de famille qui tricotait les pulls de ses enfants. La consommation marchande règne.

Ainsi le capitalisme a-t-il pénétré la sphère du mode de vie aussi bien que celle de la production. L'évolution commencée près de deux siècles auparavant [...] place la majorité des individus dans une situation d'impuissance vis-à-vis d'une organisation qui les dépasse. C'est le « système » que l'on invoque ou que l'on condamne, ou dans l'ordre duquel on baigne inconsciemment, comme autrefois dans celui des saisons. Mais ce système n'est pas exempt de contradictions. Il est loin d'offrir à chacun les moyens de satisfaire les appétits qu'il stimule. Aussi ne faut-il pas s'étonner si, dans ce contexte, se poursuivent et s'élargissent les mouvements sociaux.

J. Fournier et N. Questiaux, *Traité du social*,

3. L'ouverture sur l'extérieur

Les vingt dernières années ont vu l'économie française s'engager profondément dans un mouvement d'internationalisation qui touche tous les stades de l'activité économique. [...]

La croissance comparée des échanges extérieurs et de la production depuis 1896 marque un véritable tournant au début des années 1960. Après une croissance assez lente des exportations et des importations (relativement à la croissance de la PIB), la crise de 1929, puis la deuxième guerre mondiale ont replié l'économie française sur elle-même. Dans l'immédiat après-guerre, la reconstruction de l'économie s'est faite dans une atmosphère protectionniste, rendue nécessaire par l'extrême fragilité de l'économie et aussi par les difficultés de consolidation des monnaies européennes. A la fin des années 1950, la réalisation du Marché commun et l'effondrement de l'Empire colonial ont modifié cette situation.

La grande industrie « dynamique » venait de reconstituer ses bases de production et commençait à trouver le marché français trop étroit en regard de sa capacité d'accumulation du capital et de développement de sa production. Cette volonté d'ouverture vient à la rencontre d'un courant politique « Européen », issu des milieux sociaux-démocrates et chrétiens qui voyaient dans l'union européenne (excluant néanmoins les pays socialistes) un moyen d'abolir les divisions nationales et sociales tout en faisant l'économie de profondes luttes sociales. Ce mouvement était encouragé par les États-Unis dont les industriels commençaient à s'implanter largement dans les pays européens et trouvaient trop étroit chacun de ces pays pris séparément. En 1957, le traité de Rome prévoit l'établissement d'un Marché commun où toutes barrières douanières auraient disparu.

Par ailleurs, la fin de la guerre d'Indochine [...] annonce l'effondrement de notre empire colonial sous les coups conjugués des mouvements de libération nationale d'une part, et d'autre part des pressions des autres pays capitalistes qui voient d'un mauvais œil la France se réserver l'exclusivité de ces marchés. Il est certain que les milieux industriels et financiers les plus dynamiques, qui accèdent alors au pouvoir par l'intermédiaire de la Ve République, n'éprouvent pas une grande tristesse à la perte de cet Empire, d'autant qu'ils s'y assurent, grâce à la politique de « coopération », le maintien de leurs sources de matières premières et que ces marchés contribuent à tenir hors de l'eau des entreprises désuètes qui, à leurs yeux, alourdissent l'économie française.

La C.E.E. prend alors la place de l'empire colonial dans les débouchés et les approvisionnements de l'industrie française, ce qui n'est pas sans conséquences sur la structure même de cette industrie.

C. Gabet, *Projet*, n° 91, janvier 1975.

4. De la IVe à la Ve République

L'inflation, l'unité européenne, la décolonisation : trois épreuves paraissant insurmontables pour la IVe République française. Défaillance des institutions? L'instabilité ministérielle est peut-être moins la cause que la manifestation d'une certaine incapacité du pays à dominer ces problèmes. Elle traduit l'incertitude des coalitions, le morcellement de l'opinion, la division des partis eux-mêmes devant les choix essentiels. [...]

La guerre d'Algérie, compliquée de l'expédition de Suez, fait déraper le gouvernement. [...]

L'effondrement de la IVe République vient de ce qu'elle nc parvient ni à gagner la guerre ni à faire la paix. [...]

La Constitution de 1958 crée un régime semi-présidentiel, une « monarchie élective » diront certains critiques, dont le prince est d'abord l'élu des notables; elle rétablit le principe du référendum. Il faut attendre la révision de 1962 pour que le président de la République devienne l'élu du suffrage universel.

M. Roncayolo, *Histoire du monde contemporain depuis 1939*, Éditions Bordas, 1973.

5. Mai 1968

A partir du 13 mai 1968, grève de solidarité avec les étudiants, l'agitation se développe dans les entreprises, partant à la fois des jeunes ouvriers, des techniciens, confondant les secteurs économiques en danger et les entreprises les plus rationalisées, entraînant dans cette critique de la « technocratie » et de l'autorité les professions intellectuelles, débordant enfin les organisations syndicales. Fin mai-début juin, 9 millions de travailleurs sont en grève. [...] Les accords de Grenelle [...] amorcent [...] une série de négociations au niveau des entreprises. Il reste néanmoins, en dessous de ces gains apparents, la remise en question de l'autorité patronale, celle des appareils syndicaux, le renouvellement des thèmes – l'autogestion, les revendications « qualitatives » –, qui font de l'expérience de mai-juin 1968 une articulation et pas seulement une relance dans l'histoire des luttes sociales.

M. Roncayolo, op. cit.

6. 1981 : la gauche au pouvoir

1. **Résultats des élections présidentielles du 10 mai 81** (second tour).

M. Mitterrand	51,75 % des inscrits
M. Giscard d'Estaing	48,24 % des inscrits

2. **Résultats officiels des élections législatives du 21 juin 81.**

	% de voix 1er tour (14 juin)	Nombre de sièges après le 2e tour (21 juin)
Extrême gauche	1,33 %	0
P.C.	16,17 %	44
P.S. + M.R.G.	37,51 %	P.S. : 269 M.R.G. : 14
Divers gauche	0,72 %	6
Écologistes	1,08 %	0
R.P.R.	20,80 %	83
U.D.F.	19,20 %	61
Divers droite	2,80 %	6
Extrême droite	0,35 %	0
		C.N.I.P. : 5
Total	**100 %**	**488**

B. LE NIVEAU DE VIE

7. Quelques indicateurs

Consommation

Consommation	Structure en 1949	Structure en 1979
Alimentation	41,8 %	21,9 %
Habillement	13,5 %	6,84 %
Habitation	14,6 %	25,7 %
Hygiène et santé	6,8 %	12,8 %
Transports et télécommunications	5,8 %	13,7 %
Culture et loisirs	6,9 %	7,59 %
Divers	10,2 %	12,6 %

I.N.S.E.E.

Équipement

Taux d'équipement des ménages (en %)	1957	1980
Téléviseur	6,1	89,5
dont téléviseur couleur		40,4
Réfrigérateur	17,4	95
Automobile	21[1]	69,5
Lave-vaisselle		15,3

1. 1953. I.N.S.E.E.

	1967	1977
Abonnés au téléphone	3 340 000	9 900 000
Vente de disques	44 000 000	113 000 000
Calculatrices de poche (importation)	0	4 600 000
Hypermarchés	0	357

L'Expansion, septembre 1977.

Taux d'équipement des résidences principales en certains éléments de confort (en %)

Éléments de confort	1954	1975
Eau courante	61,9	97,2
WC intérieurs	26,6	73,8
Installations sanitaires[1]	10,4	70,3

I.N.S.E.E.

1. Baignoire ou douche.

Taux de départ en vacances d'été (en %)

1951 : 30 %; 1976 : 51,6 %. (I.N.S.E.E.)

Espérance de vie à la naissance

	1950	1977
Sexe masculin	63 ans	69,85 ans
Sexe féminin	68,7 ans	77,95 ans

I.N.S.E.E., Données sociales 1978.

Mortalité infantile : 1946-1950 = 63,4 ‰ ; 1975 : 13,6 ‰ ; 1979 : 9,8 ‰.

8. Une protection sociale accrue

Créée par une ordonnance du 4 octobre 1945 et « généralisée », du moins en principe, par une loi du 22 mai 1946, la Sécurité sociale est perçue comme une grande institution. [...]

Les jeunes ménages imaginent mal ce que pouvaient signifier, avant la guerre, l'irruption d'une maladie, l'arrivée d'un enfant, le départ à la retraite... Les catégories socio-professionnelles les plus aisées étaient souvent les seules à pouvoir faire appel sans difficultés au médecin et à mettre de côté un consistant pécule pour les vieux jours. Pour la grande majorité des travailleurs, c'était, au contraire, l'insécurité. [...]

Aujourd'hui, 98 % des Français sont couverts [...] contre de nombreux risques. Les prestations sociales représentent le cinquième de la production nationale; si elles permettent aux ménages de mieux boucler leur budget, elles garantissent aussi aux professions de santé et aux laboratoires pharmaceutiques une croissance de leurs revenus ou de leur profit.

J.-P. Dumont, *Le Monde,* Dossiers et Documents, février 1976.

9. Structure de l'emploi et de la valeur ajoutée (en %)

Branches de la comptabilité nationale		Structure de l'emploi en %		Structure de la valeur ajoutée en %[1]	
		1959	1979	1959	1979
U 1	— Agriculture	22,1	8,9	9,8	5,6
U 2	— Industries agricoles et alimentaires	3	2,6	4	4,9
U 3	— Énergie	2	1,3	4	5,2
U 4	— Industrie des biens intermédiaires	7,2	9,3	7,5	9,2
U 5	— Industrie des biens d'équipement (automobile incluse)	6,6	8,3	6,3	10,4
U 6	— Industrie des biens de consommation courante	8,7	6,5	5,7	5,6
4 à 6	— Industrie	22,5	22,2	19,5	25,2
U 7	— Bâtiment, génie civil et agricole	7,7	8,3	8	6
U 8	— Commerce	10,1	12	11,6	11,1
U 9	— Transports et télécommunications	5,2	6,1	5,4	6,8
U 10 à U 14	— Services	27,5	38,4	39,6	38,3
	— Production imputée de services bancaires[2]	—	—	– 2	– 3,2
	Total (ensemble de l'économie)	**100**	**100**	**100**	**100**

I.N.S.E.E.

1. Valeur ajoutée à francs constants 1970.
2. La production imputée de services bancaires donne lieu à une consommation intermédiaire non ventilée à retrancher globalement ces valeurs ajoutées de l'ensemble des branches.

10. L'agriculture

Depuis la Libération, l'agriculture française a amorcé un mouvement de transformation et de restructuration : non seulement les paysages se sont modifiés, les cultures rentabilisées, mais ce secteur, traditionnellement en marge, fait désormais partie intégrante du circuit économique, tout en gardant son particularisme. Néanmoins, les théories technocratiques prônant une agriculture industrialisée dans une « France sans paysans » n'ont pas trouvé d'écho dans la réalité. La modernisation de l'agriculture s'est en fait traduite par une motorisation intensive et l'utilisation d'engrais chimiques qui ont permis, par exemple, d'arriver aujourd'hui à un rendement de 50 quintaux de blé à l'hectare, alors qu'il ne dépassait pas les 18 quintaux en 1950. A ces progrès, il faut ajouter ceux de la Recherche agronomique et ceux réalisés en matière de conservation, de conditionnement et de commercialisation des produits de la terre. La part prise par les produits agricoles et alimentaires dans les exportations se révèle capitale dans notre commerce extérieur.

Cette évolution rapide n'a pas eu pour corollaire une transformation radicale des structures. Les exploitations restent de taille moyenne (20 % ont moins de 5 ha, 38 % entre 5 et 20 ha, 42 % plus de 20 ha). Les disparités entre exploitations, entre régions, demeurent importantes. La population active agricole est âgée : 50 % des chefs d'exploitation ont plus de 55 ans. Par ailleurs, la formation des agriculteurs reste insuffisante. [...]

Les politiques agricoles menées depuis 1960 en vue de remédier à cet état de fait tendent à moderniser l'agriculture, notamment dans le cadre de la Loi d'Orientation de 1960 et de la Loi complémentaire de 1962, qui définissent une véritable politique des structures : mise en place des Sociétés d'Aménagement foncier et d'Établissement rural (S.A.F.E.R.) qui ont pour but d'améliorer les structures agraires et d'accroître la superficie de certaines exploitations, création de l'indemnité viagère de départ (I.V.D.) pour permettre aux agriculteurs de prendre leur retraite, s'ajoutent au remembrement dont l'objet est de pallier le trop grand morcellement des exploitations.

Mais cet ensemble de mesures est freiné par le problème foncier. En effet, la majorité des agriculteurs doivent s'endetter pour acquérir de nouvelles terres et cela d'autant plus que les prix des terrains ont augmenté brutalement depuis 1972; cet endettement chronique restreint leur capacité d'investir dans leurs exploitations en vue de les moderniser. [...]

En outre, l'interdépendance de l'agriculture et des autres branches de la production alimentaire s'accentue. Le secteur coopératif est important dans le domaine de la transformation des produits agricoles destinés à l'alimentation. Parallèlement, les industries alimentaires ont tendance à une forte concentration et la part des capitaux étrangers y est importante.

Problèmes politiques et sociaux, La Documentation française, 5 mars 1976.

11. L'industrie

La modernisation du capital productif, puis la restructuration vigoureuse des entreprises à partir de 1964, avec une accélération sensible à la fin des années soixante, ont bousculé les structures de l'appareil productif national. La concurrence internationale accrue, le développement de l'interdépendance des économies des pays développés d'abord, puis au niveau élargi de l'ensemble des pays, le besoin croissant de matières premières détenues par les pays en voie de développement, ont nécessité le renforcement de la compétitivité des entreprises françaises entraînant dans de nombreuses branches : sidérurgie, énergie, chimie, automobile, la constitution de grands groupes capables de s'insérer dans le processus d'internationalisation de la production et des échanges.

Restructuration de l'appareil productif français. *Perpectives*, La Documentation française, 1977.

12. Le développement du tertiaire

Que l'on considère les effectifs employés ou la valeur ajoutée, la conclusion est la même : globalement, le secteur des services occupe actuellement une place prépondérante dans l'économie française : 52 % de la main-d'œuvre totale en 1975, 56 % de la main-d'œuvre salariée et 56 % aussi de la valeur ajoutée.

Le recensement de 1975 montre que sur une population active de 20 944 000 personnes, 10 748 000 étaient employées dans le secteur tertiaire. [...]

Les exportations de services ont atteint 42 milliards de francs en 1976 et les importations 36 milliards. [...]

Les trois quarts des emplois créés en France de 1962 à 1975 l'ont été dans le secteur des services (2 800 000 emplois sur un total de 3 700 000); et la proportion va croissant : 72 % de 1962 à 1968, 77 % de 1968 à 1975.

Conseil économique et social, Rapport sur l'emploi dans le secteur tertiaire, 14 mars 1978.

13. La population active française de 1954 à 1975[1] (%)

	1954	1975
– Agriculteurs exploitants	20,7	7,6
– Salariés agricoles	6,0	1,7
– Patrons de l'industrie et du commerce	12,0	7,8
– Professions libérales et cadres supérieurs	2,9	6,7
– Cadres moyens	5,8	12,7
– Employés	10,8	17,7
– Ouvriers	33,8	37,5
– Autres catégories	8,0	8,1

1. Recensements.

C. QUELQUES FAITS CULTURELS

14. Libéralisation des mœurs

Il y a quinze ans seulement, les mouvements en faveur de la libéralisation de la contraception ne rencontraient qu'une audience limitée. Quant à l'avortement, rares étaient ceux qui en approuvaient le principe, plus rares encore ceux qui considéraient que c'était là un domaine où la décision relevait uniquement de la femme intéressée[1]. Il se trouve aujourd'hui que ceux qui restent opposés à l'avortement, et ils demeurent nombreux, sont devenus souvent les partisans les plus décidés d'une libéralisation très large de la contraception.

L. Roussel, I.N.E.D., *Le mariage dans la société française*, P.U.F., 1975.

15. L'évolution de la natalité

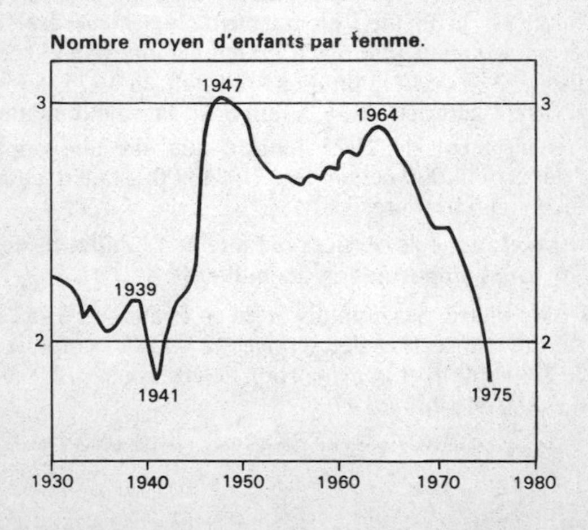

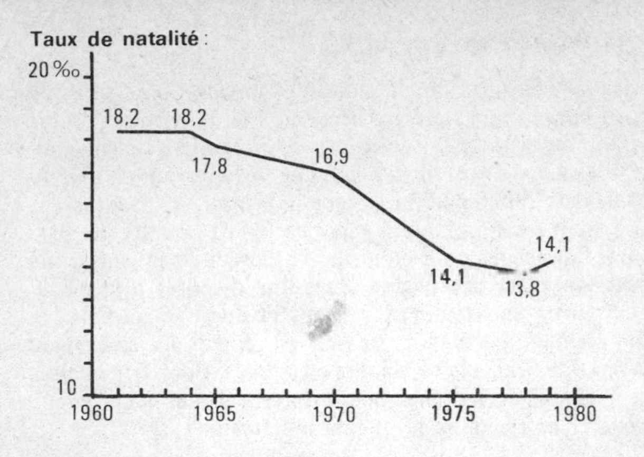

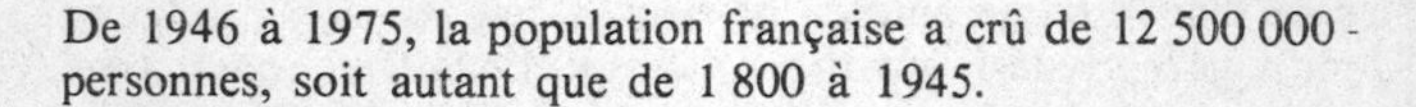
De 1946 à 1975, la population française a crû de 12 500 000 personnes, soit autant que de 1 800 à 1945.

P. Longone, *Population et sociétés*, mars 1976, n° 89, I.N.E.D.

1. Décembre 1967 : loi Neuwirth libéralisant la contraception. Janvier 1975 : loi autorisant l'interruption volontaire de grossesse. L'avortement était interdit en France depuis 1920.

Le vieillissement et ses conséquences

C'est du fléchissement de la natalité qu'il faut surtout se préoccuper aujourd'hui, celui qui s'est produit depuis 1973 devant avoir des effets continus jusqu'en 2045. [...]

Dans les cinq ans qui viennent les générations qui vont quitter le marché de l'emploi seront moitié moins nombreuses que les générations qui vont y entrer; la baisse récente de natalité, succédant aux hausses des années 1946 et suivantes, vaudra à l'éducation des problèmes très ardus de blocage de recrutement d'enseignants à partir de 1985; à partir de la même année les lesquelles difficultés décupleront soudain au début du XXIe siècle; le vieillissement consécutif à la baisse de natalité augmentera la proportion des inactifs âgés dont la localisation dans l'espace national créera des déséquilibres infrarégionaux et interrégionaux.

É. Sullerot, « *La démographie en France, bilan et perspectives* », La Documentation française, 1978.

16. Vers l'American way of life?

L'emprise américaine sur la culture française n'a cessé de croître au cours de la dernière décennie : de la même manière que l'*American way of life* s'est imposé en matière de consommation, l'*American way of thinking* gagne du terrain de jour en jour. Mais à la différence du secteur industriel, les États-Unis, dans le domaine culturel, n'ont guère besoin de prendre des participations financières pour contrôler l'industrie de la pensée. Ils disposent, sur place, d'efficaces alliés tout disposés à propager la bonne parole américaine. [...] Dans l'édition scientifique, la situation est déjà alarmante : de plus en plus de livres savants publiés par des Français sont écrits en anglais. Pour être connus hors de l'hexagone, les chercheurs doivent renier leur langue maternelle et entrer dans le monde américain. [...]

Le show-business est, lui aussi, très ouvert aux influences des États-Unis. La plupart des musiques populaires contemporaines sont d'importation américaine et le théâtre parisien a toujours un regard privilégié sur Broadway. Les Etats-Unis sont encore le pays auquel la France achète le plus de films. Quant à la télévision, elle utilise non seulement de nombreux films américains mais aussi des feuilletons et des séries. [...]

J.-C. Texier, *Le Monde Diplomatique*, décembre 1974.

D. LES INÉGALITÉS PERSISTENT

17. Patrimoines

C.S.P. du chef de foyer	Patrimoine moyen[1] par foyer	
	en francs	en indice (ensemble = 100)
Exploitants agricoles	619 350	290
Industriels et gros commerçants	1 322 300	619
Artisans et petits commerçants	503 600	236
Professions libérales	1 334 500	625
Cadres supérieurs	466 850	219
Cadres moyens	198 250	93
Employés	100 600	47
Ouvriers, salariés agricoles	81 300	38
Inactifs	196 700	92
Ensemble	**213 423**	**100**

Le patrimoine des Français, Document du C.E.R.C., 1979.

1. Objets d'art, bijoux, or sont exclus de cette estimation.

1945-1982 : De la croissance à la crise

2

La rapidité de la croissance d'après-guerre (documents 1 et 2) contraste avec les périodes précédentes.

De 1945 à 1973 la France ne connaît pas de crises économiques profondes. Plans de stabilisation et mesures de relance permettent d'éviter de trop amples fluctuations (document 3).

La crise qui frappe les pays industrialisés en 1974 atteint la France au deuxième semestre de cette année (document 4). Si l'accroissement du prix du pétrole a pu être un détonateur, ce n'en est pas la cause profonde. Chômage, inflation, problème de la balance des paiements sont antérieurs à 1973. La crise a amplifié les déséquilibres d'une économie déjà vulnérable.

La persistance du chômage et de l'inflation, l'atonie de la croissance conduisent à s'interroger sur le bien-fondé des mesures de politique économique prises depuis 1974 (documents 5 et 6).

1. Une croissance spectaculaire...

Croissance de la production industrielle[1]

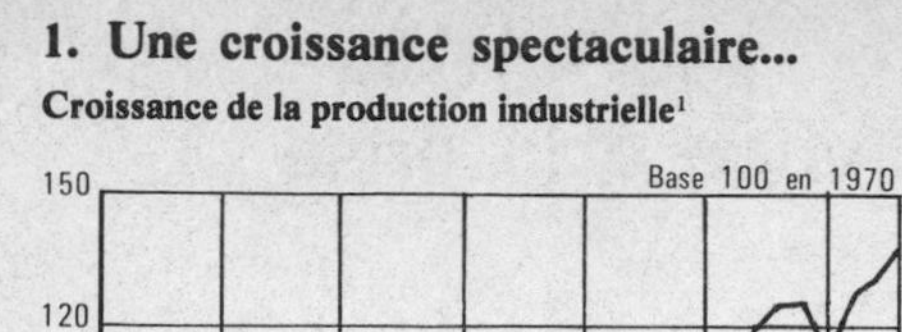

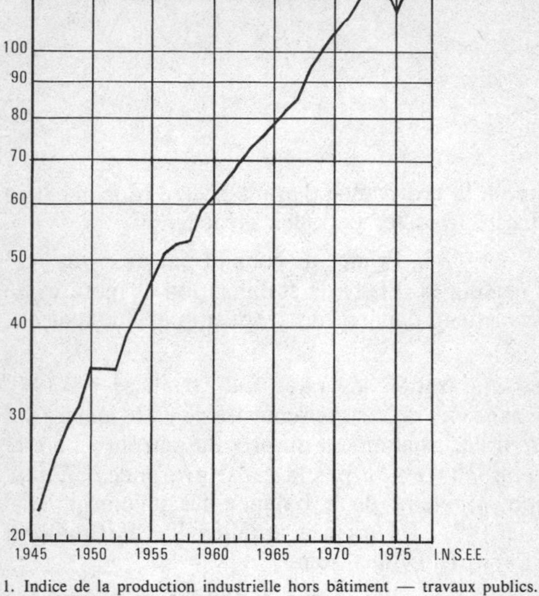

1. Indice de la production industrielle hors bâtiment — travaux publics.

2. ... qui fait bonne figure

Taux de croissance annuels moyens 1959-73 (%)	P.N.B.	Production industrielle
France	5,5	5,7
Japon	10,5	13,2
R.F.A.	4,8	5,4
États-Unis	3,9	5,1
Grande-Bretagne	3,2	3,2

I.N.S.E.E.

3. Sept grandes phases

1. 1950-1953 : l'inflation coréenne et la stabilisation

Avec la guerre de Corée, l'inflation redémarre en 1950, après la période de stabilisation relative due au plan René Mayer de 1948 et à la récession mondiale de 1949. [...]

De plus, le réarmement lié à l'engagement militaire en Indochine pèse sur le déficit des finances publiques, alors même que l'effort d'investissement lié à la reconstruction n'est pas encore achevé. [...] L'inflation se poursuit [...] jusqu'au début de 1952. C'est alors qu'Antoine Pinay, ministre des Finances [...] tente *l'expérience* de stabilisation des prix à laquelle il a attaché son nom : les prix qui dépendent de l'État, les prix agricoles en particulier, sont maintenus; il est demandé aux commerçants de baisser les leurs de 5 %. [...]

Les investissements publics sont sensiblement réduits; un grand emprunt d'État, indexé sur le « napoléon » et exonéré de droits de succession, est lancé avec succès, constituant pour les vingt ans à venir une « source légale d'évasion fiscale »; le taux d'escompte est porté de 2,75 à 4 % [...]; enfin, pour limiter les actions revendicatives des syndicats, le *Salaire minimum interprofessionnel garanti,* créé par la loi sur les Conventions collectives du 11 février 1950, est indexé sur l'indice des prix comme premier échelon de « l'échelle mobile des salaires ». Par rapport à l'objectif visé, la réussite est manifeste, favorisée, il est vrai, par la conjoncture internationale. [...] Mais en contrepartie l'expansion est cassée. [...]

2. 1953-1957 : l'expansion soutenue

Le taux de croissance restera élevé jusqu'à la fin de 1957. Mais alors que les prix sont restés stables et l'équilibre extérieur satisfaisant jusqu'au début de 1956, la croissance dégénère alors en une inflation de plus en plus forte : le plein emploi retrouvé, les tensions sur les coûts se font sentir, renforcées par la hausse des prix mondiaux qui suit la crise de Suez, le déficit des finances publiques lié à la guerre d'Algérie et les tensions sur le marché du travail, encore accrues par le « rappel » de certaines classes du contingent. [...]

3. 1957-1959 : les efforts de redressement financier

Dès le milieu de 1957, les autorités [...] essaient de s'engager dans une politique de stabilisation. [...] Le « plan Gaillard » réduit l'impasse budgétaire et le crédit, et surtout suspend en juin la libération des échanges et procède en août à une « dévaluation fiscale » de 20 % : les importateurs devant payer une taxe de 20 % sur leurs achats de devises, tandis que les exportateurs reçoivent en sens inverse une prime de même montant sur leurs ventes. Mais les incertitudes politiques font que les capitaux ne rentrent pas comme on l'avait espéré; au contraire, la situation s'aggrave encore au début de 1958. [...]

C'est en décembre 1958 que sont prises les mesures les plus importantes, qui soutiennent un véritable pari : celui du retour à la convertibilité externe du franc, en même temps que les autres monnaies de l'Union européenne des paiements. Pour ce faire, A. Pinay [...] décide une nouvelle dévaluation du franc de 17,55 % et la création du « franc lourd » (100 A.F.). Comme mesure d'accompagnement de la dévaluation, l'impasse budgétaire est encore réduite. [...] Là encore, par rapport à l'objectif qui était visé, le rétablissement des finances extérieures, les résultats sont atteints. Dès 1959, la balance des paiements devient excédentaire, les capitaux rentrant enfin. [...]

De plus, les importations se ralentissent du fait des mesures de contraction de la demande interne, tandis que les entreprises françaises sont obligées de se retourner vers les marchés étrangers où le jeu combiné de la « prime de dévaluation » et de la reprise mondiale, après la récession de 1958, leur permet d'appréciables succès. Ainsi la dette extérieure de 1 700 millions de dollars en 1958 est totalement remboursée à la fin de 1962, tandis que les réserves de change disponibles ont plus que triplé. En contrepartie, la croissance interne est sensiblement freinée : 1958-1959 constitue, après 1952-1953, la deuxième récession marquée de l'après-guerre, et le pouvoir d'achat des Français est diminué. [...]

4. **1960-1964 : nouvelle expansion**

[...] Les cinq années qui vont suivre connaîtront des taux de croissance élevés. [...]

Jusqu'à la fin de 1963, l'équilibre extérieur est plus que maintenu. [...] A la fin de 1963, il devient manifeste que l'équilibre extérieur est à nouveau détruit : les effets de la dévaluation de décembre 1958 sont épuisés. Le gouvernement réagit et le ministre des Finances, Valéry Giscard d'Estaing, prépare un plan de stabilisation en septembre 1963. [...] Les mesures en sont classiques : retour à l'équilibre budgétaire [...] blocage des prix; encadrement du crédit; emprunt d'État [...] abaissement des droits de douane, etc. Les effets ne se feront sentir qu'en 1965 : la hausse des prix se ralentit, l'équilibre extérieur est retrouvé, la progression du pouvoir d'achat freinée. Mais la croissance est plus faible que prévue et, pour la première fois depuis la fin de la guerre, la question du chômage commence vraiment à se poser.

5. 1965-1968 : ralentissement et efforts de relance

Le taux de croissance [...] se maintient autour de 5 %. Cependant le nombre de demandes d'emploi non satisfaites s'élève régulièrement, et quelques mesures de « soutien à l'activité économique » sont successivement prises : tout d'abord concernant l'encouragement à l'investissement (avoir fiscal, création des S.I.C.A.V. en 1965) et le financement par recours au système bancaire (réformes de 1965-1966 mettant fin à la spécialisation des banques de dépôt et d'affaires); puis, à côté de nouvelles aides à l'investissement (exonération de T.V.A.), la consommation est généralement soutenue par le crédit (février 1966) et la fiscalité (janvier 1968). [...]

Mais si des signes de reprise se découvrent dès le début de 1968, ce sont les conséquences des événements sociaux de mai-juin qui vont donner une impulsion décisive vers une nouvelle expansion. En effet le pouvoir d'achat s'élève brutalement (le S.M.I.G. relevé de 35 % et la moyenne des salaires de 10 %, consécutivement aux accords de Grenelle), tandis que l'émission monétaire s'accroît de plus de 15 %. [...] L'expansion [...] sera quasiment continue pendant plus de cinq années : du milieu de 1968 au début de 1974.

6. 1968-1973 : expansion continue et accélération de l'inflation

Mais si cette période d'expansion, sans doute la plus longue qu'ait connue l'économie française, a enregistré les taux d'investissement records [...] elle n'en reste pas moins marquée par trois séries de déséquilibres, concernant la balance des paiements, les prix et l'emploi, que les politiques économiques ne sont pas encore parvenues à maîtriser. [...] Les événements sociaux de 1968 survenant alors que la situation des réserves de changes de la France était florissante [...] le contrôle des changes, instauré en mai-juin, était levé en septembre. Mais [...] en quelques semaines (octobre-novembre 1968), les réserves nettes de la Banque de France sont pratiquement épuisées, nécessitant le recours à nouveau au F.M.I. A la fin du mois de novembre les autorités monétaires réagissent : la dévaluation envisagée est exclue, un contrôle des changes très strict rétabli, le déficit budgétaire réduit et l'encadrement du crédit à nouveau instauré. L'hémorragie de devises est stoppée, mais la balance commerciale n'est pas rétablie pour autant. Aussi, après la période d'hésitation des élections présidentielles, la dévaluation du franc est décidée le 8 août 1969 (– 11,1 %), accompagnée en septembre-octobre d'un plan dit de « redressement » qui, par une limitation de la progression des composantes de la demande interne, a pour objectif de dégager un surplus exportable. Les effets ne seront pas immédiats, et il faudra attendre la réévaluation du deutschemark (fin octobre 1969), pour que les mouvements des capitaux flottants et les termes de règlement s'inversent. Dès lors, l'équilibre est progressivement rétabli, et les contrôles peuvent être levés au second semestre de 1970. Ensuite, c'est au contraire d'une spéculation à la hausse – source d'inflation – que le franc fera l'objet, du fait de la baisse du dollar (1971-1973), ce qui conduira à l'instauration en août 1971 d'un « double marché des changes » et d'un contrôle à l'entrée des capitaux. Mais, lors de la crise de l'énergie (septembre-octobre 1973), le franc est à nouveau attaqué, et, en janvier 1974, la décision est prise de le laisser flotter à la baisse. Ce n'est qu'un an et demi après, en juin 1975, après un nouvel affaiblissement des grandes monnaies (dollar, livre), qu'il pourra retrouver sa parité officielle et rentrer dans le « serpent monétaire européen ».

[...] Ce n'est vraiment qu'après les élections présidentielles de 1974 que les mesures deviendront plus restrictives dans le plan Fourcade de juin-juillet 1974, où les normes de progression des crédits sont sévèrement limitées. [...] On commence à en apercevoir les effets au début de 1975, avec une décélération relative de la hausse des prix. Mais alors, la récession se dessine avec de plus en plus d'acuité.

Le troisième déséquilibre de cette période est en effet celui de l'emploi. [...]

7. **1974-1975 : récession**

[...] 1975 sera, et de loin, la plus mauvaise année que l'économie française aura connue depuis l'après-guerre.

P. Delfaud et P. Guillaume, *Nouvelle histoire économique*, tome 2, « le XXe siècle », Éditions Colin, 1976.

4. La rupture de 1974

1. Quelques indicateurs

Expansion comparée en France et à l'étranger (en % par an)	1963 à 1969	1969 à 1973	1973 à 1979
France (P.I.B. marchand)	5,7	5,9	3,1
Étranger	4,9	4,4	2,2
Écart France-Étranger	0,8	1,5	0,9

Évolution du volume (en F 70) **de la valeur ajoutée** (en % par an)	1963 à 1973	1973 à 1979
Agriculture	2,1	– 0,5
Industrie manufacturière	7,2	2,5
Tertiaire marchand	5,1	3,9
Ensemble branches marchandes non agricoles	6,0	2,9
Produit intérieur brut marchand (P.I.B.)	5,8	3,1

Hausse comparée des prix en France et à l'étranger (en % par an)	1963 à 1969	1969 à 1973	1973 à 1979
France	3,8	5,9	10,7
Étranger	3,2	5,9	9,0
Écart France-Étranger	0,6	—	1,7

Évolution du capital aux prix de 1970 (en % par an)	Capital		Productivité du capital	
	1963 à 1973	1973 à 1979	1963 à 1973	1973 à 1979
Agriculture	3,5	2,6	– 1,3	– 2,1
Industrie manufacturière	5,9	4,0	1,2	– 1,5
Tertiaire marchand	5,8	5,5	– 0,6	– 1,6
Ensemble branches non agricoles	5,6	4,5	0,5	– 1,6

P. Dubois, *Économie Rurale*, juillet-août 1980.

Un chômage qui ne cesse de monter

Taux de chômage, en pourcentage de la population active :
moyenne 1962-1973 : 2,2; 1973 : 2,6; 1974 : 2,7; 1975 : 4,1; 1976 : 4,6; 1977 : 5,2; 1978: 5,3; 1979: 5,7; 1980: plus de 6.

2. Crise pétrolière ou cause plus profonde ?

La rupture ne nous paraît, pour l'essentiel, imputable à un épuisement du progrès technique, ou plus généralement des facteurs physiques de la croissance, après trente années d'accroissement rapide de la productivité. Elle ne nous semble guère davantage explicable par l'essoufflement d'une demande qui commencerait d'être saturée après trente ans de vive progression des niveaux de vie matériels. Non pas que des facteurs de l'une ou l'autre nature ne puissent tendre à infléchir l'expansion. Mais l'ampleur de la rupture et sa simultanéité internationale ne sont pas compatibles avec des explications de cette nature. [...]

Le quadruplement du prix du pétrole à la fin de 1973 a constitué un choc inflationniste et dépressif qui a contribué d'une façon sensible à la crise. Mais celle-ci était en germe dès la fin des années soixante. Cette période est en effet marquée par la montée de l'inflation, par une érosion des profits et une tendance défavorable de la productivité physique du capital se conjuguant pour compromettre la rentabilisation du capital financier, par le développement de l'instabilité des échanges internationaux lié à la crise du système monétaire international, alors même que ces échanges sont portés à un niveau jamais atteint. Si la rupture se manifeste en 1974, l'origine de la crise est antérieure. Le choc pétrolier n'a pu avoir des conséquences apparentes aussi durables et importantes sur l'ensemble des économies occidentales que dans la mesure où la santé de celles-ci était déjà minée par la maladie. [...]

La rupture de la croissance et l'inflation s'expliquent aussi par des facteurs endogènes à l'économie françaises, ou plus généralement, à l'ensemble des économies occidentales. Ces facteurs, n'étant ni l'épuisement de la dynamique physique de l'offre, ni l'essoufflement de la demande, doivent être recherchés dans les mécanismes de régulation de l'offre et de la demande, de la production et de l'emploi (substitution capital-travail, durée du travail), et enfin des prix et des revenus (formation des salaires et des profits).[...]

La maladie stagflationniste est évidemment très contagieuse dans une économie de frontières ouvertes, d'interdépendances accrues, et dans laquelle aucune autorité ne dispose de pouvoirs importants pour une régulation économique internationale.

Paul Dubois, *Économie rurale*, juillet-août 1980.

5. La politique du gouvernement Barre

1. Les mesures

La lutte contre l'inflation constituait le cœur du « plan Barre » du 22 septembre 1976. Il a introduit un « gel » de l'ensemble des prix pendant trois mois, assorti d'un blocage des tarifs publics jusqu'en avril 1977; à partir de cette date, la hausse des tarifs sera limitée à 6,50 %. [...]. L'abaissement, en janvier (1977), de la T.V.A., de 20 % à 17,6 %, pour un grand nombre de produits, a été présenté comme une mesure d'allègement des coûts. Simultanément, le plan comprime la demande de diverses façons: impôts supplémentaires (sur le revenu, l'essence, les bénéfices, la « vignette », l'alcool), tentative de blocage du pouvoir d'achat en 1977 (mettant en cause les accords antérieurs de politique contractuelle), ralentissement des dépenses publiques d'équipement, resserrement du crédit, encadrement plus strict de la masse monétaire. D'autres mesures visent à reconstituer les profits [...] : réévaluation partielle des bilans, amortissement dégressif plus favorable, incitation aux souscriptions d'actions...

L'année économique et sociale 1977, *Le Monde*.

La politique d'« assainissement de l'économie française », menée par M. Barre depuis septembre 1976, s'est brusquement radicalisée après la victoire de la majorité aux élections législatives de mars 1978. L'un des premiers signes de ce changement a été la décision prise dès mai par le Premier ministre d'augmenter fortement les tarifs publics. [...] Dès juin, le gouvernement rend la liberé des prix à un certain nombre d'entreprises industrielles. Trois mois plus tard seulement, l'ensemble des firmes industrielles françaises sont totalement libres de fixer les prix au niveau où elles l'entendent, et cela pour la première fois depuis trente ans. [...]

L'année économique et sociale 1978, *Le Monde*.

2. **Une analyse critique**

Il convient de s'interroger, sur la signification et les résultats des « plans Barre ». Se poser ces questions revient immanquablement à se demander pourquoi avoir échoué dans tant de domaines [...], le plan Barre constitue une excellente illustration des blocages de l'accumulation. La logique parfaite devait en être la suivante : modifier la répartition en faveur des profits, ce qui autorise alors la relance de l'investissement, qui lui-même relancera l'emploi puis la consommation. Le début de ce plan a été effectivement un succès.

[...] La part des salaires est tombée à 49,5 % en 1978 contre 50,8 % deux ans plus tôt. Pendant ce temps, conséquence arithmétique, les profits ont vu leur part augmenter : fait significatif, le redressement très rapide de l'autofinancement (74,6 % pour le secteur privé en 1978 contre 58,4 % en 1976). Or cette croissance de l'autofinancement ne peut s'expliquer que pour partie par le ralentissement des investissements. [...] L'idée du plan Barre revient à augmenter le taux de plus-value, c'est-à-dire à modifier la répartition de la valeur ajoutée en faveur des profits. Comme les gains de productivité structurellement sont en baisse — c'est l'une des raisons de la crise — il faut que le taux de croissance augmente. Or, on le sait, la production augmente du fait de la croissance soit de la production de biens de consommation, soit de celle des biens capitaux. Il n'est pas, ou peu, question de croissance rapide des biens de consommation puisque, par définition, la répartition ne se fait pas en faveur des salaires.

[...] L'investissement ne peut se développer que dans la perspective d'une croissance forte et d'une rentabilité qui ne doit pas l'être moins. Or, perspectives de croissance et de rentabilité fortes sont encore pour longtemps reliées à celle sur le marché intérieur, c'est-à-dire largement celles du marché des biens de consommation.

[...] L'investissement peut être, et a été, soutenu par le secteur public. Les commandes d'équipement des entreprises publiques ont augmenté de + 28 % en trois ans. Le reste de l'investissement est surtout destiné à la rationalisation de la production dans une période où la recherche des gains de productivité est tellement importante.

[...] D'une part la hausse des prix apparaît comme le moyen le plus sûr pour une entreprise d'accroître sa marge sur un marché dépressif, d'autre part les investissements réalisés portent de plus en plus la seule marque d'une recherche d'efficacité dans la production. C'est, bien entendu, l'emploi qui en pâtit, comme en témoigne la baisse de l'emploi industriel depuis 1974. Le taux de croissance de la production apparaît alors comme le résultat final de ces contradictions : sa lente hausse de 4,7 % en 1976 à un stade de 3,5-4 % en 1978-1979, puis vraisemblablement 2 % en 1980, est donc particulièrement significative.

J.H. Lorenzi, O. Pastre, J. Toledano, *La crise du* XXe *siècle*, Economica, 1980.

6. Quelques mesures de relance

Les efforts de relance seront très prudents, a encore déclaré M. Delors. Ils ont été « soigneusement dosés » : « La conjoncture internationale reste extrêmement morose, en raison notamment du niveau aberrant des taux d'intérêt aux États-Unis. Nous n'entendons anticiper sur une reprise de l'économie mondiale que prudemment, et sans mettre en difficulté l'équilibre extérieur de notre pays : si l'on cumule les différentes additions de pouvoir d'achat que constituent la récente hausse des très bas salaires (6 milliards de francs d'ici à la fin de 1981) et les prestations sociales supplémentaires accordées aux familles, aux personnes handicapées et âgées (4,6 milliards de francs d'ici à la fin de 1981), ainsi que le déblocage du Fonds d'action conjoncturelle (6 milliards de francs), la demande potentielle supplémentaire sera légèrement supérieure à 0,5 % du P.I.B., qui peut ici, parler de relance inconsidérée ? Bien au contraire. Il faut que vous sachiez qu'en l'absence de reprise, c'est-à-dire si la production restait au niveau où elle se trouve actuellement, c'est une récession de 1 % du P.I.B. que notre pays enregistrerait en 1981.

C'est dans le même esprit de modération et de prudence que M. Delors a demandé que soient strictement limités aux rémunérations les plus basses, dans le secteur privé comme dans le secteur public, les effets de la hausse du S.M.I.C. « Il doit être exclu que les hausses de salaires qui seront pratiquées soient répercutées sur les prix.

A. Vernholes, *Le Monde* 12 juin 1981.

3 A la recherche d'une explication de la croissance

Ce chapitre met en évidence les principales causes de l'expansion : la demande (document 1), la population et le travail (documents 2 à 6), l'investissement (document 7), les conditions de travail (document 8) et leurs conséquences (document 9), le faible coût de l'énergie et le progrès technique (document 10).

L'inflation a été une donnée permanente de l'après-guerre. Son rôle dans la croissance a-t-il été positif? (document 11).

A partir des années 1960, l'ouverture sur l'extérieur, le rôle moteur de l'investissement privé, le développement du secteur financier marquent un tournant décisif pour l'économie française (document 12).

*

1. Une demande forte

Partout dans le monde, la Seconde Guerre mondiale [...] permet de retrouver les conditions d'efficacité de l'offre et de la demande. Une forte inflation (les prix ont été multipliés par 20 de 1940 à 1952), en effaçant les dettes accumulées [...] restaure l'efficacité de la demande. Une destruction physique des machines rétablit celle de l'offre. En particulier, [...] il faut reconstruire les routes et les chemins de fer. [...]

Mais l'essentiel de la nouvelle demande est produite, dans ces années d'après-guerre, par la mise en place de nouveaux réseaux ouvrant un autre champ à la marchandise. Le développement des réseaux de communication nouveaux (le téléphone) et des formes d'énergie peu coûteuses (l'électricité) créent les conditions de cette consommation nouvelle. [...] Le faible coût de l'énergie, sous forme de pétrole ou d'électricité, crée et entretient la demande. [...] D'abondantes disponibilités énergétiques sont en effet disponibles à des prix que la concurrence entre les pays fournisseurs permet de maintenir durablement orientés à la baisse. [...

D'autres éléments nouveaux de production de demande se mettent en place, sous la pression de la croissance de la population après la guerre : le logement, [...] l'éducation, [...] et la Sécurité Sociale. [...] La demande des particuliers se porte [...] vers de nouveaux biens de consommation permettant le remplacement par des marchandises de services [anciennement gratuits], ces marchandises se substituant au réseau collectif familial et aux services gratuits que la vie rurale permettait de maintenir jusque-là.

Par ailleurs, les salaires, les prestations sociales et les services sociaux augmentent de façon régulière, grâce aux conventions collectives et à la pression des syndicats. [...]

Avec la disparition du protectionnisme, l'internationalisation des échanges se développe et produit, après 1958, une formidable demande en Europe pour les marchandises françaises.

J. Attali, *La nouvelle économie française*, Éditions Flammarion, 1978.

2. Évolution de la population française I.N.S.E.E.

Date des recensements	Population totale au 1er janvier (en milliers)	Population active (en millions)
1901	38 486	19,6
1936	41 194	19,3
1946	40 125	19,4
1954	42 885	19,1
1962	46 422	19,2
1968	49 723	20,3
1975	52 643	21,7
1979	53 373	23
1980	53 583	

1. Prix relatif du pétrole (rapport entre le prix du pétrole brut importé et le prix des produits manufacturés exportés par la France : base 100 en 1949, 60 en 1970).

3. Mobilité sectorielle (1946-1975)

En % de la population active	1946	1962	1975
Agriculture	36,46	20,0	9,5
Industrie et B.T.P.[1]	29,26	38,2	39,2
Transports, commerce et autres services	34,28	41,8	51,3

I.N.S.E.E.

1. Bâtiment et travaux publics.

4. L'appel à une main-d'œuvre immigrée

Selon les recensements de population, on dénombrait 1 046 000 actifs étrangers en 1946 et 1 584 000 en 1975, ce qui représentait respectivement à ces deux dates 5,1 % et 7,3 % du total des actifs. [...]

Plus que le nombre absolu de travailleurs étrangers, c'est l'importance et la croissance de la main-d'œuvre immigrée dans certains secteurs d'activités et dans certaines professions qui fait le caractère structurel de l'immigration. [...]

Entre 1968 et 1975, la quasi-totalité (97 %) des emplois créés dans les services ont été occupés par des nationaux. Sur le plan des qualifications, la même observation peut être faite : près de 50 % des emplois de manœuvres créés entre 1962 et 1968 ont été occupés par des immigrés. [...]

Dans l'ensemble de l'économie française, l'utilisation intensive du capital s'est accompagnée d'un recours massif à l'immigration pour deux raisons. D'une part, la modernisation des équipements a entraîné une plus grande stratification des emplois industriels et notamment un développement rapide des emplois peu qualifiés. D'autre part, la nécessité de rentabiliser un capital coûteux a conduit les entreprises à réduire leurs coûts salariaux et à modifier leur organisation du travail. Il en est résulté une modification profonde des conditions de travail et par conséquent une désaffection plus marquée des actifs nationaux.

Joseph Nicol, *Après-Demain*, mai-juin 1978.

5. La durée du travail

En 1975, la France restait le pays de la C.E.E. ayant la durée hebdomadaire la plus longue[1], globalement, mais aussi dans presque tous les secteurs d'activité. Dans les autres pays, la durée hebdomadaire du travail avait diminué de 1955 à 1968, alors qu'elle augmentait en France; par contre, depuis 1968, la diminution de la durée du travail semble plus rapide en France.

Données sociales 1978, I.N.S.E.E.

1. La durée hebdomadaire du travail était en France de 44 heures en 1946, 45,3 heures en 1955, 45,6 heures en 1965 et 42,1 heures en 1975.

6. Le faible coût de la main-d'œuvre... un avantage ?

Les coûts salariaux horaires moyens (salaires plus charges sociales) étaient en 1978, selon une étude de la Dresdner Bank de 21 francs en Grande-Bretagne, 26 francs au Japon ; 28 francs en France, 29 francs en Italie, 39 francs aux U.S.A. et 45 francs en Allemagne fédérale.

La comparaison des coûts salariaux et mensuels de la main-d'œuvre ouvrière en France et dans les pays de la C.E.E. à six fait ressortir un net retard. [...] Il ne semble pas que globalement, cet « avantage » soit un facteur important de compétitivité; au contraire, car il contribue à freiner les progrès de productivité. [...]

Ce phénomène peut s'expliquer par la forte pression exercée sur le marché de la main-d'œuvre ouvrière par la persistance de l'exode rural, par les travailleurs immigrés, par la relative faiblesse des syndicats de certaines branches, par l'attitude malthusienne des industriels eux-mêmes.

C. Stoffaes, *La grande menace industrielle,* Éditions Calmann-Lévy, 1978.

7. Un gros effort d'investissement

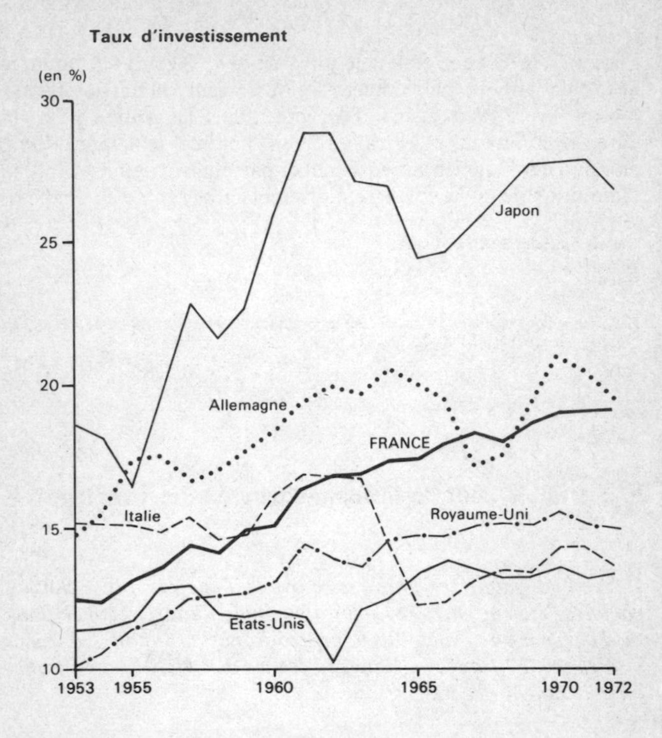

8. Le taylorisme : de l'atelier au bureau

Depuis 1945, le taylorisme a continué à se développer dans l'industrie. Une récente enquête l'a clairement montré : sur 72 entreprises interrogées en 1974, alors que 8 avaient récemment lancé des opérations d'enrichissement des tâches, mode d'organisation résolument moderniste, six autres ont engagé l'ensemble de leur personnel dans un processus de taylorisation. En effet, si l'O.S.T. a perdu du terrain dans certains secteurs, elle en a pénétré de nouveaux (bâtiment, bois, ameublement, ...).

Mais cette expansion ne s'est pas limitée à l'atelier. Ce qui caractérise surtout la période 1950-1973, c'est la généralisation massive du taylorisme dans un domaine où il n'avait jusque là trouvé qu'un petit nombre d'applications. Nous voulons parler du travail de bureau [...] Après une augmentation progressive, on assiste à partir de 1945 à une véritable « explosion » des cols blancs dans la structure de la main d'œuvre, leur part faisant plus que doubler en 20 ans : de 9,9 % en 1901, le pourcentage des employés dans la population active passe successivement à 15,1 % en 1946 et 29,2 % en 1968. Quant à la seconde évolution, le degré de féminisation du travail constitue un indice assez fiable nous semble-t-il : dès 1954, 48,3 % des employés du secteur secondaire et 52,5 % de ceux du tertiaire sont des femmes ; 20 ans après, celles-ci représentent 65 % de l'ensemble des employés de bureau. Aux O.S. d'ateliers vient ainsi s'adjoindre l'armée des O.S. de bureaux. [...] La généralisation du taylorisme, mode d'organisation du travail aujourd'hui dominant en France, s'est ainsi effectuée en deux vagues : à une première vague a correspondu l'application des principes de l'O.S.T. au travail ouvrier dans les années 20, à une seconde a correspondu, au lendemain de la Seconde Guerre mondiale, la rationalisation du travail de bureau.

J.H. Lorenzi, O. Pastre et J. Toledano, *La crise du XXe siècle*, op. cit.

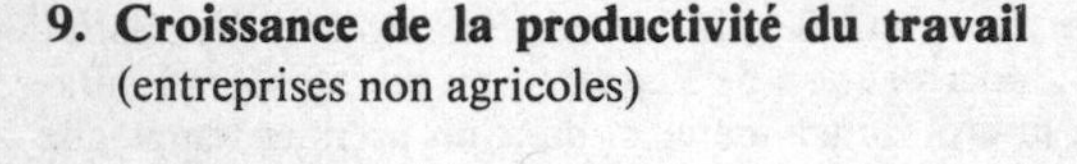

9. Croissance de la productivité du travail
(entreprises non agricoles)

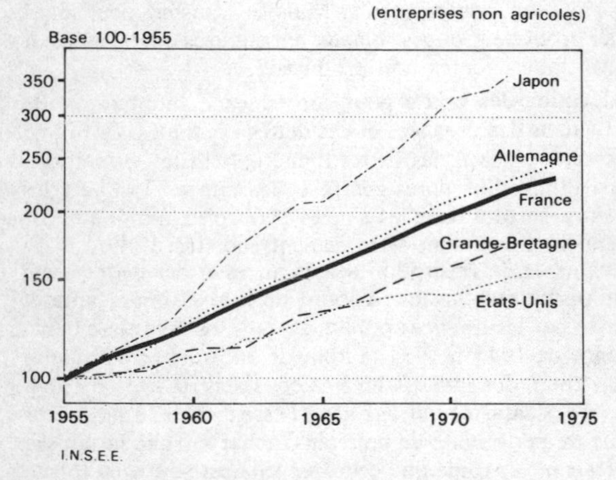

10. Le progrès technique

Appliquant à l'étude de la croissance française les méthodes d'analyse de l'économiste américain Denisson, J.-J. Carré, M. Dubois et E. Malinvaud ont essayé de déterminer le rôle respectif des différents facteurs de production dans la croissance. Cette étude qui s'appuie sur les travaux théoriques de Cobb Douglas peut être critiquée. Elle permet cependant de mettre en évidence l'importance du progrès technique. Si sur 5 % de croissance pour la période 1951-1969, 2,5 % peuvent être expliqués par la contribution du facteur travail et du facteur capital, 2,5 % ne peuvent être imputés ni à l'un ni à l'autre de ces facteurs. C'est ce que les auteurs appellent le résidu.

11. L'inflation

[...] Si l'inflation peut être considérée comme un moyen de financement d'une économie en croissance rapide, c'est parce qu'elle opère de vastes transferts de revenu entre les groupes sociaux. En d'autres termes, au cours d'un processus inflationniste certains groupes sociaux sont gagnants et d'autres sont perdants. Si le transfert de revenu s'opère au profit de groupes qui utilisent ce prélèvement déguisé de matière productive, c'est-à-dire pour la modernisation de l'appareil productif, alors l'inflation favorise la croissance même si dans un premier temps elle crée une situation peu équitable. Mais le transfert peut aussi s'opérer au profit de groupes sociaux parasitaires qui bénéficient alors de véritables rentes non productives.

[...] l'élévation des prix a pour conséquence automatique de réduire la valeur des créances et des dettes existantes. Ont donc profité de cette érosion des dettes d'une part l'État, principalement dans l'immédiat après-guerre et les années 1950, et les entrepreneurs, surtout dans les années 1960, c'est-à-dire à partir du moment où ils se sont sérieusement endettés. [...]

Ce mécanisme de résorption des créances et des dettes a été en grande partie responsable d'abord de la part importante et directe prise par les finances publiques dans les investissements de la France de 1945 à 1954 (autour de 30 %) et ensuite de la vigueur du boom des investissements constatés de 1956 à 1964. [...] Ce sont les salariés qui ont payé l'essentiel de la note, soit sous forme de perte nette de pouvoir d'achat lorsque la hausse des prix était plus rapide que celle des salaires soit sous forme de freinage de leur revenu réel.

M. Parodi, *L'économie et la société française de 1945 à 1970*, Éditions Armand Colin, 1971.

12. Le tournant des années 1960

Pour la période 1945-1961, [...] les raisons profondes de notre processus de développement [...] pouvaient être trouvées, en définitive, surtout dans la modification très rapide de la structure de notre population active (urbanisation, décroissance de la population primaire...) et dans le rôle essentiel joué par les entreprises publiques assurant une partie très appréciable de notre investissement et exerçant à l'intérieur de plusieurs secteurs industriels un effet d'entraînement économique et social. La période de l'après-guerre se prêtait assez bien à la profonde et rapide évolution de notre fonction de consommation et au rôle de l'initiative publique nécessaire à la reconstruction de notre infrastructure. Durant cette époque, le secteur privé s'est réorganisé et a crû à l'ombre de la puissance publique. La société française a résolu d'abord et presque exclusivement ses problèmes internes, d'adéquation de son appareil de production à sa consommation intérieure. Elle l'a fait de façon relativement homothétique, sans bouleversement de la composition de ses productions et de ses structures industrielles et financières. La part des exportations dans le produit national ne s'est accrue que très légèrement (de 10 % à 13 % en 12 ans); le secteur financier ne s'est guère modifié et n'a fait que suivre un développement qui lui venait d'ailleurs; nos industries secondaires, enfin, avaient trop à faire à satisfaire la croissance de la consommation interne pour songer à devenir capables d'assurer leur croissance par l'exportation.

La période [...] (*1962-1973*) est profondément différente. L'origine de la croissance n'est plus dans une modification de la structure de la population (qui a à peu près cessé), ni dans un secteur public dont le rôle n'a cessé de décroître, ce dont témoigne la quasi-disparition des organes de la planification française dans les prises de décision essentielles. *La croissance, durant cette dernière période, a son origine dans le secteur privé* (non financier et financier). Ses trois caractéristiques essentielles, mal décelables lorsqu'on se contente d'observer l'évolution à court terme, deviennent très claires dans leur contenu et leur complémentarité, lorsqu'on apprécie tout le chemin parcouru en plus d'une décennie. *La première,* qui prolonge directement la période de reconstruction, est dans le développement privilégié du *secteur secondaire.* Toutes nos industries manufacturières ont continué et affermi le développement qu'elles avaient connu auparavant. Les industries primaires ont été quelque peu sacrifiées montrant en cela que nous consentions à dépendre de l'extérieur pour nos approvisionnements en matières premières et en énergie. *La seconde caractéristique* qui est le cœur de la stratégie de croissance que nous venons de vivre est dans notre volonté délibérée de l'intégration aux échanges mondiaux et, notamment, à ceux qui relient les nations développées. La hausse de notre taux d'investissement trouve ici son explication et sa justification : elle n'est pas dissociable de celle, phénoménale, de notre taux d'exportation passé de 13,9 à 22 %. Définitivement révolu, désormais, le temps de l'autarcie relative possible, sinon souhaitée. L'économie française appartient désormais à l'économie mondiale, en reçoit ses contraintes et y émet les siennes. On exporte plus de 40 % de notre production industrielle, autant que le Japon. Nous avons dépassé la Grande-Bretagne, vieil empereur déchu du siècle précédent, alors même que nos marchés extérieurs ne sont plus protégés autant qu'ils l'étaient et moins que ne l'étaient ceux de la Grande-Bretagne au siècle dernier. [...] *La troisième caractéristique* est dans l'éveil de notre secteur financier, dont on ne sait plus guère s'il est privé ou public mais dont on sait désormais qu'il est bien financier. Nos organisations bancaires d'abord, financières ensuite, ont modifié profondément leur politique en s'intégrant au marché financier autrement que de façon sporadique et circonstancielle. Toutes nos banques sont devenues « d'affaires » en même temps qu'elles sont toutes devenues de dépôts choisissant une politique de synthèse entre la banque universelle chère à nos voisins allemands et la banque de conquête indissociable de l'aventure américaine. Leur poids dans le financement des investissements industriels comme dans celui des placements immobiliers est devenu essentiel.

Alain Cotta, *Inflation et croissance en France depuis 1962*, P.U.F., 1974.

Le commerce extérieur 4

La perte de l'Empire (1954-1962), la signature du traité de Rome (1957), après un long passé protectionniste, marquent l'entrée de la France dans la compétition internationale.

Aujourd'hui, près d'un cinquième du P.I.B. est exporté (document 1). Les dévaluations de 1958 et 1969 ont favorisé les exportations, mais qu'en est-il des suivantes ? Les produits français s'imposent sur les marchés étrangers. Réciproquement les produits étrangers pénètrent en France (documents 2 à 4).

L'ouverture sur l'extérieur implique une adaptation constante des produits exportés à la demande mondiale et une spécialisation accrue. L'examen du commerce extérieur français (documents 5 et 6) renvoie aux forces et aux faiblesses de l'industrie (documents 7 et 8).

Le relèvement du prix du pétrole a renforcé la dépendance énergétique (document 9). L'impératif de la compétitivité internationale, la « contrainte extérieure » (document 10), sont à l'origine de débats sur la spécialisation (document 11) et la reconquête du marché intérieur (document 12).

*

1. L'essor des exportations

Les exportations [...] ne représentaient que 11 % du P.I.B. en 1949, 12,5 % dix ans après et encore seulement 14,2 % en 1970. Dès lors, les progrès se sont accélérés et le taux de 17 % était approché en 1976[1]. Leur rôle d'entraînement conjoncturel apparaît dans les coefficients suivants : de 1949 à 1975 leur valeur a été multipliée par 26,5 fois contre 22 fois pour les investissements, 16 fois pour le P.I.B. et 15 fois pour la consommation. [...]

1. 1979 = 17,3 %.

Sur la base des données internationales publiées en volume par l'O.C.D.E. pour la période 1959-1976, la France, dont les exportations ont été multipliées par 4,8 fois, n'est devancée que par le Japon (8,6 fois) et l'Italie (5,9 fois). [...]

La France s'est ainsi hissée au quatrième rang des exportateurs mondiaux avec une part de 7 % du marché.

Indosuez conjoncture, novembre-décembre 1977.

2. Le coup de fouet des dévaluations

Les dévaluations de 1957 et 1958 et celle de 1969 sont deux événements majeurs. [...]

Réalisées dans des contextes très différents, leurs conséquences sur le commerce extérieur paraissent complémentaires. En effet avant 1957 la capacité de la France à pénétrer les marchés étrangers était fortement limitée par deux handicaps : des prix trop élevés et peu de produits industriels élaborés à exporter. Les dévaluations de 1957-1958 ont restauré la compétitivité de nos prix. Celle de 1969, renforcée par la politique d'accompagnement, a puissamment stimulé les entreprises exportatrices de produits élaborés.

J. Mistral, « Vingt ans de redéploiement du commerce extérieur », *Économie et statistique*.

3. Un exemple : la dévaluation de 1969

La dévaluation a exercé des effets de dissuasion sur les achats de produits étrangers par les consommateurs nationaux et a favorisé la vente des produits français à l'étranger. En termes annuels, les exportations (en volume) de biens et services, qui s'étaient accrues de 7,5 % par an en moyenne depuis le début des années soixante, s'accroissent de 17,6 % en 1970 et 14,7 % en 1971, alors que les importations, qui s'étaient accrues à un rythme moyen de 11 % et qui avaient enregistré un bond de 21 % en 1969, ne progressent que de 7,5 % en 1970 et retrouvent une progression de 11,5 % en 1971. Le taux de couverture des importations par les exportations atteint de nouveau 100 % dès la fin de 1969. [...]

Solution exemplaire aux difficultés de l'économie française dans la période d'après-mai 1968, la dévaluation n'allait cependant pas suffire à assurer un assainissement et un renforcement durable des structures du commerce extérieur de la France : la crise pétrolière, quelques années plus tard, en révélerait la fragilité.

Éliane Mossé, *Comprendre la politique économique*, Éditions du Seuil, 1978.

4. La dévaluation de 1981

Au lendemain de l'élection de M. François Mitterrand, qui prenait au dépourvu les milieux financiers internationaux, le franc était vivement attaqué. [...]

Pour enrayer les sorties de devises (plus de 4 milliards de dollars), les pouvoirs publics resserraient de façon draconienne le contrôle des changes. Enfin, la Banque de France faisait monter les taux d'intérêt à des niveaux historiques. [...]

Courant septembre, de « bonnes nouvelles » en provenance d'Allemagne fédérale — gonflement de l'excédent de la balance commerciale, diminution du déficit de la balance des paiements courants, plafonnement du déficit budgétaire — provoquaient une véritable ruée sur le mark [...]

Comme on pouvait s'y attendre, le franc français ne pouvait résister à la vigoureuse remontée du mark et, en dépit d'un nouveau resserrement du contrôle des changes, l'inévitable se produisait : le dimanche 4 octobre, le mark et le florin étaient réévalués de 5,5 %, le franc français et la lire dévalués de 3 %, la couronne danoise, la livre irlandaise et le franc belge restant inchangés. Cet ajustement équivalait à dévaluer de 8,5 % le franc français par rapport au mark. La dévaluation du franc était toutefois limitée à 4 % à la fin de l'année en raison de la relative faiblesse de la monnaie allemande.

François Renard, *L'Année économique et sociale* 1981, Le Monde.

5. Structure des échanges extérieurs (58-79)

Par catégories de produits (en %)	1958	1979
Importations		
Produits agricoles et alimentaires	25,2	10,7
Matières premières	24,9	7,4
Énergie	19,7	21,5
Produits manufacturés	30,1	60,0
dont :		
— Demi-produits	12,0	18,7
— Produits chimiques	4,0	9,2
— Machines et matériel de transport	12,1	22,4
— Autres articles manufacturés	2,0	9,7
Divers	0,1	0,4
Tous produits	100,0	100,0

Par catégories de produits (en %)	1958	1979
Exportations		
Produits agricoles et alimentaires	13,0	14,3
Matières premières	7,2	4,3
Énergie	6,3	3,7
Produits manufacturés	70,5	77,0
dont :		
— Demi-produits	31,0	20,7
— Produits chimiques	8,4	11,9
— Machines et matériel de transport	22,7	35,8
— Autres articles manufacturés	7,6	8,6
Divers	4,0	0,7
Tous produits	100,0	100,0

I.N.S.E.E.

6. Redéploiement géographique

Structure géographique des échanges commerciaux (en % du total)

	1959	1979
Provenance des importations		
Pays de l'O.C.D.E.	52,1	70,6
dont :		
— C.E.E. (à 9)	31,3	50,1
— États-Unis	8,4	7,6
Pays socialistes (y compris Chine)	3,1	3,4
Pays en développement	44,8	26,0
— Pays exportateurs de pétrole	20,6	15,1
— Autres pays en développement		8,1
— Zone franc	24,2	2,8
Destination des exportations		
Pays de l'O.C.D.E.	53,8	71,4
dont :		
— C.E.E.	32,8	52,8
— États-Unis	8,3	4,9
Pays socialistes (y compris Chine)	2,8	4,6
Pays en développement	43,4	24,0
dont :		
— Pays exportateurs de pétrole	11,7	7,2
— Autres pays en développement		
— Zone franc	31,7	5,1

I.N.S.E.E.

7. Un révélateur des faiblesses de l'industrie

La structure de la balance commerciale française renvoie aux faiblesses de l'industrie et aux mécanismes de l'allocation des capitaux. [...] La part de l'étranger dans les machines utilisées par l'industrie française passe de 15 % en 1949 à 20 % en 1963 et remonte jusqu'à 48 % en 1976, c'est-à-dire retrouve les niveaux d'avant la guerre de 1914. Certains secteurs de biens de consommation sont aussi touchés : l'importation de postes de télévision en provenance de la R.F.A. double de 1962 à 1976, elle quintuple en provenance des U.S.A. Certes, la modernisation de l'agriculture permet à un excédent agricole considérable de se substituer au déficit de l'avant-guerre; [...] malgré cet excédent, notre dépendance agricole est déjà considérable à l'égard de l'Europe et des U.S.A. pour les secteurs clés que sont les porcs, les oléagineux, les agrumes et les nourritures animales. [...] Il faut [...] de plus en plus d'importations pour une même production. [...]

D'autres éléments des échanges extérieurs complètent cet échec. [...] Près de la moitié du déficit de la balance des invisibles est due à notre participation insuffisante aux activités liées à la grande exportation, les assurances, le courtage, le transit et surtout les transports maritimes, où l'absence de maîtrise des coûts de transports par mer explique le déficit.

J. Attali, *La nouvelle économie française*, op. cit.

8. Les insuffisances

L'industrie française est trop concentrée sur quelques partenaires, européens notamment, dont la protection vis-à-vis de l'extérieur est pratiquement inexistante (cf. textile sur le marché allemand); elle ne s'est pas assez « mondialisée » dans son expansion : faiblesse traditionnelle sur le marché américain ou japonais, et sur les marchés des pays en voie de développement dont l'économie « décolle » (Amérique latine, Asie du Sud-Est, etc.) et qui devraient connaître dans l'avenir les taux de croissance les plus élevés.

Les entreprises françaises ne sont pas suffisamment implantées à l'étranger de manière permanente. La faiblesse des investissements commerciaux à l'étranger des sociétés de commerce international est patente. Ainsi, de manière générale, nous vendons beaucoup de demi-produits outre-Rhin. Mais bien davantage que de ventes françaises en Allemagne, il s'agit d'entreprises allemandes qui viennent acheter en France, par sous-traitance en quelque sorte. A cette structuration commerciale insuffisante, se joint une légèreté assez marquée du comportement commercial (prix sur catalogues et prix réels, délais de livraison, service après-vente) toujours évidemment en comparaison des concurrents allemands et japonais. Les investissements industriels à l'étranger aussi bien dans les pays développés que dans le Tiers Monde font preuve d'une faiblesse encore plus marquée. Le total des investissements cumulés de l'industrie allemande en France atteint 8 milliards de francs : avec 4,5 milliards la France n'est au contraire que le sixième investisseur outre-Rhin.

Quelques centaines d'entreprises, grandes ou moyennes seulement, ont abordé l'exportation et notamment la grande exportation; 85 % du commerce extérieur est réalisé par 1 400 entreprises, alors que 50 % et 30 % des exportations transitent, respectivement, au Japon et en Allemagne, par des maisons de commerce international. La plus grande partie du tissu industriel, notamment les petites et les moyennes entreprises, n'ont pas encore découvert les marchés extérieurs (contrairement à la R.F.A. et au Japon).

C. Stoffaes, *La grande menace industrielle,* Éditions Calmann-Lévy, 1978.

9. La dépendance

Avec près du quart de l'activité tourné vers les marchés extérieurs, la maîtrise des équilibres macro-économiques est désormais plus difficile. [...] Les différences de rythme de croissance entre la France et l'étranger ont une influence accrue sur notre économie. Une augmentation de la demande extérieure peut entraîner une reprise de l'activité intérieure. Réciproquement, une baisse de nos exportations peut conduire à une déflation interne. [...] Les importations de produits industriels, notamment, ont crû de 25 % en volume alors que la production n'augmentait que de 9 % environ.

La dépendance de notre pays à l'égard des matières premières vient accentuer cette sensibilité. Nous ne sommes pas maîtres des cours mondiaux sur ces produits; or ceux-ci connaissent des évolutions très heurtées depuis 1972. [...]

Les cours des matières premières alimentaires suivent les mêmes lois d'évolution; en outre, ils sont affectés par des aléas tels que la destruction des plants de café brésiliens par des gelées en 1975, ou le faible niveau des stocks de soja aux États-Unis qui fut à l'origine de la hausse des cours sur les marchés internationaux des protéagineux à la fin de 1976. [...]

A partir de 1974, [...] dépendant de l'extérieur pour 80 % de sa consommation en énergie contre 60 % en moyenne pour l'ensemble des pays d'Europe occidentale, la France est [...] très touchée par l'élévation des coûts pétroliers [1]. L'énergie représentait 12 à 13 % de la valeur de nos importations totales au début de la décennie. Après la hausse de prix décidée par l'O.P.E.P. en 1973, cette part atteint près du quart de l'ensemble de nos achats à l'étranger et le déficit énergétique, de 18 milliards en 1973, atteint 61 milliards en 1976.

Étude du G.E.P.I., *Économie et statistique*, n° 94, novembre 1977.

1. En 10 ans les importations de pétrole ont presque doublé : 1967 : 58,9 millions de tonnes ; 1977 : 113,5 millions de tonnes ; 1979 : 125,8 millions de tonnes.

10. La contrainte extérieure

L'élasticité Exportations-Importations est en France, depuis la crise de l'énergie, supérieure à 1 dès que le taux de croissance de l'économie se rapproche de son taux de croissance potentiel, soit entre 5 % et 6 %.

Cette particularité [...] tient à la stratégie de contrôle des filières qu'ont adopté les firmes multinationales. En devenant les seuls producteurs de composants à très haute valeur ajoutée (composants électroniques mais aussi automatisme, systèmes asservis, et même moteurs ou transmissions) les firmes multinationales obligent le pays qui veut exporter à importer davantage de ces pièces ou de ces technologies. Ceci se traduit à partir d'un certain stade, dépassé en 1973, par des importations induites très coûteuses qui empêchent tout rééquilibrage par le haut. On peut étendre ce processus aux biens d'équipement servant à produire des biens d'équipement.

Ceci signifie clairement qu'en situation normale au regard de l'objectif premier qu'est l'emploi, le déficit extérieur sera directement fonction du degré d'ouverture de l'économie sur l'extérieur. Chaque exportation supplémentaire engendre une importation supérieure, creusant ainsi le déficit.

La France se trouve donc dans une situation contradictoire.

Ou l'on souhaite [...] retrouver pour 1980 le plein emploi, ou au moins s'en rapprocher, et il faut, grossièrement, obtenir un taux de croissance annuel moyen de 5 %.

Ou l'on souhaite rééquilibrer les échanges extérieurs par une croissance plus vive des exportations que des importations et il faut maintenir ce taux de croissance de l'économie nettement en dessous de son taux de croissance potentiel.

On est d'ailleurs en train de vivre cette contradiction par succession dans le temps : en 1975, récession et excédent commercial, en 1976 reprise proche de 5 % et lourd déficit, en 1977 ralentissement et amélioration des échanges extérieurs.

A. Boublil, *Le socialisme industriel*, P.U.F., 1977.

11. Spécialisation accrue ?...

Ceci nous donne le théorème de Michel Albert[1] dit « théorème de l'O.S. » : « Toute entreprise située dans un pays à haut niveau de vie, dans le secteur exposé et employant beaucoup de main d'œuvre peu qualifiée est vouée à sa délocalisation ou à disparaître ».

Au-delà des formules et des petites phrases, la doctrine officielle en matière de politique industrielle peut être définie ainsi : la France doit abandonner les secteurs ou sous-secteurs à forte intensité de main d'œuvre peu qualifiée et se développer essentiellement sur des créneaux définis par :

- une forte valeur ajoutée et la possibilité d'employer une large proportion de main-d'œuvre qualifiée et bien rémunérée ;
- une progression rapide de la demande mondiale ;
- l'existence d'entreprises françaises susceptibles d'être compétitives face à la concurrence étrangère ou de le devenir rapidement.

Au fond il s'agit de mettre en œuvre ce qu'avait déclaré il n'y a pas si longtemps le Chancelier Helmut Schmidt : « en 1990, les exportations de notre pays seront constituées à 90 % par des brevets et de la technologie ».

On est passé ainsi d'un problème d'équilibre de balance commerciale à celui de la spécialisation d'une économie comme stratégie de sortie de crise.

J.-H. Lorenzi, *La crise au XXe siècle*, op. cit.

1. Michel Albert, Commissaire général au Plan de 1978 à 1981.

12. ... Ou reconquête du marché intérieur ?

Ces stratégies d'adaptation au marché mondial n'en placent pas moins aujourd'hui l'économie française dans une situation de grande fragilité. [...] Trois indices principaux suggèrent que les plus graves limites des politiques passées se mesurent à la concurrence des pays industrialisés sur le marché intérieur :

- l'augmentation du déficit français vis-à-vis des pays industrialisés est du même ordre de grandeur, entre 1972 et 1977, que celle enregistrée du fait de la hausse du prix du pétrole ;
- si ce déficit touche l'ensemble des secteurs industriels sauf l'automobile, il se concentre plus particulièrement sur les biens d'investissement professionnel, loin d'être principalement attribuable à un développement insuffisant des exportations, le déficit industriel français tient donc plutôt à la part croissante du marché intérieur détenue par les producteurs étrangers : pour l'industrie dans son ensemble, 15 % du marché intérieur ont ainsi été perdus en 10 ans, 5 % depuis 1973, en période de sous-emploi massif des capacités.

« L'adaptation au marché mondial » constitue le mot d'ordre des politiques mises en œuvre avec continuité depuis vingt ans ; leur efficacité partielle se mesure, quatre ans après la hausse du prix du pétrole, à une relative maîtrise de la contrainte extérieure ; leurs lacunes les plus graves tiennent au déséquilibre croissant enregistré dans les échanges de produits manufacturés avec les pays les plus avancés. Or la compétitivité élevée de ces derniers tient dans une large mesure à leur présence massive sur le marché mondial des biens d'investissement, indiscutablement fondée sur la maîtrise préalable de leur marché intérieur. Reconquérir le marché intérieur, en particulier dans le domaine des biens d'investissement, sans exclure a priori le recours à un protectionnisme sélectif qui fut l'outil indispensable à l'industrialisation des pays aujourd'hui dominants (États-Unis, Allemagne, Japon) constitue donc la stratégie la mieux à même d'accroître la capacité de proposition et de négociation de la France, aussi bien en Europe que dans les rapports avec les pays en voie d'industrialisation, c'est-à-dire dans un monde aux perspectives économiques et géopolitiques plus incertaines que jamais.

J. Mistral, *Les Cahiers Français*, n° 192, Redéploiement industriel, juillet-septembre 1979, La Documentation française.

5 L'industrialisation

Renault, Peugeot, Saint-Gobain, Péchiney, Rhône-Poulenc... l'industrie est au cœur de la croissance. Usinor, Sacilor, Boussac, Manufrance... l'industrie est au cœur de la crise.

En 25 ans, l'industrialisation a transformé le paysage de la France. Des groupes importants se sont constitués (document 1), mais 96,7 % des entreprises industrielles emploient encore moins de 500 salariés. L'accélération du mouvement de concentration a-t-elle doté la France d'une structure industrielle solide ? (documents 2 à 7).

Les entreprises ont au cours de cette période choisi un mode de production de plus en plus capitalistique (documents 8 et 9). Pourquoi avoir préféré investir plutôt qu'embaucher ? Quelles en sont les conséquences : sur l'efficacité et la rentabilité du capital (documents 10 et 11) ; sur le chômage et l'inflation (document 12) ?

Si une rupture peut être décelée en 1974, peut-on pour autant imputer la crise au premier choc pétrolier ou faut-il s'interroger sur les caractéristiques propres de la croissance qui l'ont précédé ?

A. LES PERFORMANCES DE L'INDUSTRIE

1. Les groupes ont envahi notre quotidien

La glace devant laquelle on se lave (B.S.N. - Gervais-Danone et S.G.P.M.), les produits de beauté (L'Oréal), ou pharmaceutiques (Hoechst, Rhône-Poulenc, P.U.K.), la machine à laver (Thomson-Brandt) ou le Nescafé du matin (Nestlé), la voiture que l'on utilise (Renault, Peugeot, Citroën...), l'essence bien sûr, le compteur du parcmètre (Schlumberger), le livre ou le journal qu'on lit (publié ou distribué par Hachette), le poste de télé qu'on regarde (I.T.T. ou Thomson), les yaourts (Gervais-Danone), le crédit qu'on rembourse chaque mois (Suez ou Paribas)...

« Ne dramatisez pas : toute notre vie n'est pas déterminée par ces puissances financières que vous voulez voir partout. Il reste encore les moyens de vivre librement; la France gardera toujours sa bonne table, ses bons vins, sa culture, le goût français, son Pernod... »

Pernod : le septième fabricant de liqueurs du monde, et un chiffre d'affaires de 3 milliards de nouveaux francs. Quant au vin, le premier producteur de France est la compagnie financière de Suez, plus de 40 000 hectares de vignes.

Il y a plus : quand elle investit, la S.N.C.F. achète des produits Schneider, D.N.E.L. ou Wendel; les P.T.T. s'équipent I.T.T., Thomson ou C.G.E.; l'E.D.F. utilise le matériel C.G.E. ou Schneider; l'armée achète ses systèmes d'armes à Dassault, S.N.I.A.S. ou S.N.E.C.M.A., Thomson-C.S.F.; et derrière la marée des grands ensembles, villes nouvelles, autoroutes et ensembles touristiques, il y a bien sûr le béton et le ciment Lafarge ou Poliet et Chausson, les tuyaux et le verre S.G.P.M., mais il y a surtout les opérations financières de Suez, Paribas ou Rothschild.

Qui se doute que la Sofres, spécialiste du sondage de notre opinion, est une filiale de la société Sema, elle-même filiale de Metra international, détenue par la Sfec (Société française d'entreprises, études conseils), filiale de Paribas International, elle-même filiale de la Compagnie financière de Paris et des Pays-Bas.

Derrière la presse et la radio on trouve : Hachette, Dassault, Boussac, Schlumberger...

P. Allard, M. Beaud, S. Bellon, A.-M. Lévy, S. Liénart, *Dictionnaire des groupes industriels et financiers*. Éditions du Seuil, 1978.

2. Quatre grandes vagues de concentration

Au total, quatre grandes vagues se succèdent dans le mouvement de concentration :

- de 1950 à 1958, après les grandes restructurations dans la sidérurgie (en 1948, en 1953), la structure du capitalisme français évolue par fusion ou absorption... Ce sont en outre de petites firmes qui se livrent à ces opérations;
- de 1960 à 1964, l'ouverture du Marché commun provoque une accélération du mouvement, qui commence à concerner de grandes entreprises;
- de 1965 à 1970, accélération notable du mouvement de concentration, surtout dans les secteurs lourds de l'industrie (sidérurgie, construction mécanique et électrique...) ainsi que dans l'appareil bancaire. L'achèvement du Marché commun, les modifications de la législation sur la fiscalité des sociétés et sur les banques accompagnent et favorisent ce mouvement. Il s'agit encore, le plus souvent, de rectifications de frontières, de partage d'actifs ou de marché, entre les groupes;
- les années 1970-1974 sont marquées par des fusions mettant en jeu les sociétés mères. Il ne s'agit plus de définir l'aire d'influence des groupes, mais de redéfinir le nombre des groupes eux-mêmes : par exemple la fusion entre Pont-à-Mousson et Saint-Gobain, entre Péchiney et Ugine-Kuhlmann, entre Wendel et Marine-Firminy, la prise de contrôle de la banque de l'Indochine par Suez...

P. Allard, M. Beaud, S. Bellon, A.-M. Lévy, S. Liénart, *Dictionnaire des groupes industriels et financiers*, op. cit.

3. Pour quels résultats?

Si le niveau de concentration financière atteint donne maintenant à la France quelques groupes industriels de taille comparable à ses principaux concurrents (ce qui facilite incontestablement leur accès aux sources de financement), on peut se demander si elle a donné en revanche tous les résultats souhaitables sur le plan technique. Dans certains secteurs, il a été incontestablement tiré parti des économies d'échelle dans la production [...] ou dans la recherche-développement, etc. Dans d'autres cas la concentration aurait même plutôt eu des effets négatifs, au mieux neutres, lorsque les activités rapprochées ne sont pas à l'évidence complémentaires (et ont abouti à la création de simples conglomérats sans justification industrielle).

[...] Les concentrations ont aussi abouti à freiner le développement de secteurs dynamiques en les liant à des secteurs en stagnation ou en déclin. Le secteur textile a « pompé » plusieurs centaines de millions de francs par an pendant plusieurs années au secteur chimie de Rhône-Poulenc alors que la plupart des grandes firmes chimiques ont su plus tôt se dégager de ce secteur en crise de surproduction (notamment les Allemands).

Les grandes *filières métallurgie-mécanique et chimique* sont insuffisamment structurées. Ainsi, malgré la vigueur du mouvement de concentration, il n'y a pas encore en France de grands groupes industriels intégrés à vocation métallurgique ou chimique affirmée, sur le modèle des géants américains, japonais ou allemands. Les groupes sidérurgiques français (à l'exception peut-être de Creusot-Loire) n'ont pas eu, comme leurs voisins allemands, de stratégie d'intégration vers l'aval dans la métallurgie et la grosse conjoncture de l'acier. Ils ont au contraire cherché à isoler l'activité acier soutenue par l'État de leurs autres activités métallurgiques. Il n'y a pas non plus en France de grands groupes chimiques, bâtis sur le modèle de Bayer, BASF ou Hoechst : des groupes comme Rhône-Poulenc ou P.U.K. s'intéressent aussi à d'autres secteurs (textiles pour l'un, métaux non ferreux pour l'autre) et leur compétitivité internationale s'est plutôt affaiblie depuis trente ans dans le domaine de la chimie. [...]

La chimie française est moins intégrée vers l'aval notamment que ses grandes rivales étrangères. Alors que les perspectives à long terme sont défavorables pour la chimie lourde, le marché français est de plus en plus dépendant de l'étranger pour les produits de la chimie fine. [...]

Les grands groupes industriels français résultent de sédimentations successives et d'opérations financières qui ont permis aux actionnaires de tirer parti des déductions fiscales résultant de la réévaluation des actifs, en cas de fusion. Leur constitution ne s'inscrit pas nettement, sauf exception, dans une stratégie industrielle cohérente. Ces structures faussent les conditions de concurrence, accroissent la rigidité du marché : les filiales « périphériques » des grands groupes sont en général peu performantes, mais peuvent subsister en bénéficiant du soutien financier du groupe; elles gênent leurs concurrentes indépendantes plus performantes en les empêchant d'augmenter leur part de marché et leur compétitivité.

C. Stoffaes, *La grande menace industrielle*, op. cit.

4. Les entreprises industrielles françaises en 1975

Entreprises de :	Nombre d'entreprises	%	Effectif Salarié	%	Chiffre d'affaires hors taxe (en millions de F)	%
10 000 salariés et plus	42		1 070 145	18,7	212 728	18,4
5 000 salariés et plus	101		1 471 771	25,7	331 812	28,6
500 salariés et plus	1 441	0,6	3 066 077	53,5	680 825	58,8
100 salariés et plus	7 242	3,1	4 280 885	74,6	885 380	76,4
20 salariés et plus	29 619	12,9	5 229 875	91,2	1 049 019	90,5
10 salariés et plus	44 309	19,2	5 434 572	94,8	1 082 534	93,4
0 à 9 salariés	185 913	80,8	300 703	5,2	76 185	6,6
Total industrie	230 222		5 735 230		1 158 719	

I.N.S.E.E., 1979

5. L'analyse sectorielle

Les biens de consommation

Le secteur des *biens de consommation* est traditionnellement un des secteurs forts de l'industrie française. [...] Ainsi la France apparaissait-elle comme relativement spécialisée, dans des secteurs comme les industries textiles et de l'habillement, les industries du cuir et de la chaussure, les industries agricoles et alimentaires. [...]

Mais cette « force » française dans les industries de biens de consommation est, en fait, une faiblesse. La balance extérieure du textile-habillement et du cuir-chaussure s'est ainsi très fortement dégradée depuis trois ans. [...] Ce phénomène apparaît traduire à la fois une perte des marchés européens et extra-européens au bénéfice des productions des pays en développement dotés d'une main-d'œuvre à bon marché, ainsi qu'une invasion du marché français par ces mêmes productions, mais aussi par des produits allemands ou italiens plus compétitifs parce que mieux adaptés aux goûts du public et réalisés dans des entreprises qui ont su investir et se moderniser pour devenir plus productives. [...]

Contrastant avec cette spécialisation dans les biens de consommation, la France fait preuve d'une faiblesse particulière qui ne se dément pas dans le domaine des biens de consommation électriques et électroniques. Qu'il s'agisse d'appareils ménagers, d'appareils de radio et de télévision, d'appareils photographiques, sa balance extérieure est déficitaire. Le taux de couverture pour les biens de consommation durables des ménages n'est, en moyenne, que de 50 %. Le marché français est envahi de productions allemandes, italiennes ou japonaises en voie d'être relayées par les exportations du tiers monde. [...]

En 1960, la France tirait des biens de consommation un important solde commercial, notamment des anciennes colonies, et bénéficiait d'une forte rentabilité, grâce en partie à un appareil de production vieilli et amorti. Cette rentabilité a progressivement baissé et le capital n'a pu être modernisé. En Allemagne au contraire, la rentabilité du secteur a fortement progressé en même temps que se réalisait une modernisation vigoureuse grâce à un investissement soutenu.

A l'inverse, la supériorité française dans les industries agroalimentaires est sans rapport avec la puissance de l'agriculture française. En 1970, si 7,4 % de la valeur ajoutée de l'économie française était dans l'agriculture [...], l'industric agroalimentaire n'occupait que 6,8 % seulement de cette valeur ajoutée. [...] Il est clair qu'elle n'utilise pas à plein l'atout d'une agriculture compétitive et qu'elle lui laisse exporter trop de produits à l'état brut. [...]

Les biens intermédiaires

Dans la chimie, dans la sidérurgie, dans les métaux non ferreux, la France est moins bien placée que la plupart des pays industrialisés et sa position va en se dégradant. Il n'y a que dans le verre et les matériaux de construction que sa situation relative est bonne. Ces industries sont parmi les plus internationalisées qui soient : les techniques de production y sont uniformisées et les entreprises sont très concentrées.

La faiblesse tendancielle française qui contraste avec la supériorité de plus en plus affirmée de l'Allemagne dans ce secteur tient à plusieurs séries de facteurs. On note ainsi une absence de traditions bien établies et de structures industrielles fortes et intégrées en France (sauf dans l'industrie verrière), en face des puissants groupes allemands de la métallurgie et de la chimie, qui poursuivent une stratégie cohérente d'intégration de l'amont à l'aval des filières. Une infériorité dans la recherche, la formation de techniciens et la mise au point de procédés nouveaux dans un secteur où les produits et les processus changent vite explique aussi que l'industrie allemande se place mieux sur les produits les plus récents et les plus sophistiqués, laissant à la France les produits les plus banalisés et les moins élaborés. [...]

Les biens d'équipement et de consommation durables

Il est clair que l'industrie automobile constitue le fleuron de nos industries de transformation. L'industrie française est la deuxième exportatrice après le Japon et couvre ses importations à 240 %.

Pour les biens d'équipements professionnels, si quelques secteurs se distinguent particulièrement à l'exportation sur la longue durée et semblent avoir atteint un niveau de compétitivité mondiale indiscutable, tels le matériel d'équipement électrique ou l'électronique professionnelle, la spécialisation française, bien qu'en progrès marqué depuis vingt ans, est encore inférieure au niveau atteint par la plupart des pays industrialisés. Le déficit subsiste dans les balances vis-à-vis des pays de l'O.C.D.E. : il va même en s'agrandissant. Deux postes, notamment, creusent le déficit vis-à-vis de l'Allemagne : les véhicules industriels d'une part, les machines-outils d'autre part, pour lesquelles la France est le huitième producteur mondial et le deuxième importateur après l'U.R.S.S.

Les succès remportés par l'industrie mécanique à l'exportation depuis cinq ans concernent en bonne part les ventes liées aux ensembles clés en main des pays en voie de développement et sont fragiles. Le secteur de la construction navale, où la France s'était distinguée, souffre actuellement d'une crise mondiale très profonde qui devrait conduire à une réduction de moitié de son activité.

C. Stoffaes, *La grande menace industrielle*, op. cit.

6. Une faible technicité

L'industrie française est largement diversifiée, mais il semble que ce soit plutôt vers des activités de faible technicité, à fort degré capitalistique qu'elle s'est orientée préférentiellement. Leur type est assez bien représenté par l'industrie automobile, qui fait largement appel à une main-d'œuvre immigrée, et dans laquelle, effectivement, l'industrie française se distingue particulièrement.

En revanche, l'industrie française fait preuve d'une compétitivité relativement faible dans les secteurs occupés par des entreprises de taille moyenne, où se situe, au contraire, la force la plus affirmée de l'industrie allemande. [...]

L'industrie française n'a pas su, en général, exploiter au mieux les atouts naturels d'une économie développée, disponibilité en main-d'œuvre qualifiée et recours à un tissu industriel homogène. Elle semble au contraire avoir acquis une bonne part de ses succès dans des activités menacées à long terme par les pays neufs. La France a construit un appareil industriel diversifié comprenant à côté d'activités de pointe[1] difficilement rentabilisables de nombreuses activités en bas de gamme. Elle a dégagé une véritable « spécialisation européenne » complémentaire de l'Allemagne.

C. Stoffaes, *La grande menace industrielle, op. cit.*

1. Par exemple : aéronautique.

7. Un effort de recherche insuffisant

- La part des dépenses de recherche dans le produit national brut décroît depuis 1967[1]. Elle est nettement inférieure à ce qui se fait, non seulement aux États-Unis, mais en Allemagne fédérale et en Grande-Bretagne. [...]
- Les produits finis représentent toujours moins de 50 % de nos exportations contre 70 % en R.F.A. et 90 % au Japon.
- Le pourcentage des brevets d'origine française déposés en France n'a pratiquement pas cessé de décroître depuis quinze ans[2].

J. M. Quatrepoint, l'Année économique et sociale 1977, *Le Monde.*

2. 38 % en 1962, moins de 28 % en 1976.

B. UNE CAPITALISATION CROISSANTE

8. Davantage de capital

La substitution du capital au travail dans l'ensemble de l'appareil productif [...] s'est fortement accélérée à partir de 1964, puisque la croissance du capital par tête passait d'un taux moyen de 3,9 % pour la période 1957-1964 à 5,5 % pour la période 1964-1973. [...] La valeur ajoutée continue à croître au même rythme qu'auparavant. Si une capitalisation accrue ne s'est pas accompagnée d'une amélioration parallèle des performances des firmes, c'est donc que la *productivité du capital investi* a décliné. [...]

On serait en droit d'attendre que la très forte augmentation des investissements productifs se traduise au minimum par une non-diminution de la rentabilité financière des entreprises. Et, effectivement, cette dernière se maintient depuis 20 ans aux environs de 10 % et s'est légèrement accrue depuis 1968. Mais les chiffres ne reflètent qu'une rentabilité nominale et factice.

Deux facteurs ont concouru en fait à occulter la baisse réelle de la rentabilité : l'inflation, [...] et la baisse de la pression fiscale.

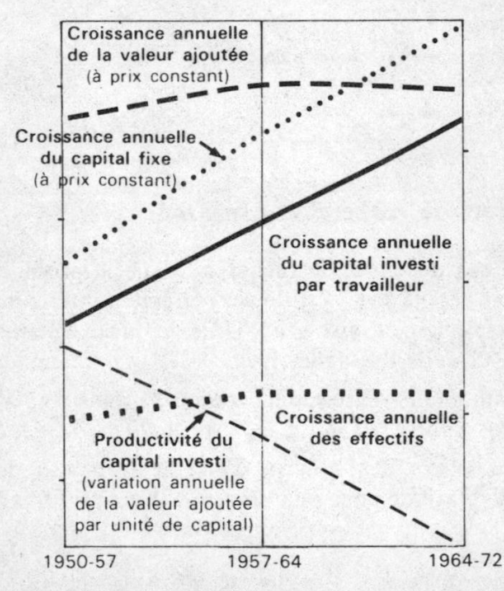

« Restructuration de l'appareil productif français ». Perspectives; La Documentation française, 1977.

9. Pourquoi «économiser» le travail ?

Le coût unitaire du travail augmente deux fois plus vite que celui du capital en Allemagne et en Italie, et 1,6 fois plus vite en France. Aussi la logique de la concurrence des capitaux provoque une accélération de la substitution des machines aux hommes, rendue de plus nécessaire par la consommation de masse et possible par les nouveaux réseaux énergétiques. [...]

La substitution s'accélère à partir de 1958 pour les industries les plus exposées à la concurrence internationale et à partir de 1964 pour toutes les autres. Elle augmente encore plus vite dans les services, où le stock de capital s'accroît deux fois plus rapidement que dans l'industrie.

En conséquence, si la productivité totale des facteurs augmente, elle reste plus faible dans les industries de consommation et dans les services que dans les industries d'équipement, modernisées plus tôt, et dans l'énergie. L'absence de planification et les exigences bancaires expliquent l'excès d'investissement dans certains secteurs et la faiblesse relative dans d'autres secteurs.

J. Attali, *La nouvelle économie française*, op. cit.

Quelques mesures qui renversèrent le coût relatif du capital par rapport au travail

1947. *Les cotisations sociales* sont calculées en fonction des salaires versés. [...]

1954. L'introduction de *la TVA* supprime la double imposition et rend déductible de la TVA due par l'entreprise la taxe comprise dans la valeur de l'équipement acheté au cours de l'année.

1960. Le système de *l'amortissement dégressif* dans le calcul du bénéfice imposable permet d'accroître les annuités d'amortissement au début de l'utilisation d'un nouvel équipement. Certes, le bénéfice fiscal s'accroîtra en fin de période, mais si l'entreprise continue son apport d'investissement, cette augmentation en sera d'autant réduite. De toute manière, la somme laissée à la disposition de l'entreprise durant l'intervalle aura pu servir à de nouveaux investissements ou à tout autre emploi profitable.

1965. *Le crédit d'impôt* accordé aux actionnaires évite la double imposition des bénéfices distribués.

Depuis cette date les taux d'intérêts ont connu une progression continue mais, de toute manière, ils apparaissent comme un coût d'exploitation déductible avant impôt. Lorsque, par surcroît, l'inflation est importante, le coût réel des emprunts contractés en vue d'acheter des équipements devient négatif...

J.-M. Albertini, *L'économie française*, Éditions du Seuil, 1978.

10. Les transferts industriels

Il est [...] clair [...] que la logique du marché qui oriente les capitaux vers les secteurs à haute rentabilité, ne les conduit pas nécessairement vers les branches les plus efficaces, c'est-à-dire les plus créatrices de productivité économique. Reprenant et améliorant des enquêtes antérieures, l'IN.S.E.E. a cherché à systématiser le classement de ce point de vue de chaque branche industrielle ou commerciale.

Elle aboutit ainsi à un découpage de l'appareil productif français en quatre grands groupes, qu'on pourrait appeler les quatre cases du grand jeu des transferts économiques. [...] Dans les deux cas figurent les secteurs dont la rentabilité (revenu net par rapport au capital) est à peu près homogène à l'efficacité économique (rythme des gains de productivité). La case du haut, à droite, est celle des lauréats, ceux qui réalisent des performances sur les deux plans : secteur des biens d'équipement, automobile, chimie, construction mécanique... Ils créent beaucoup de surplus réels et en gardent suffisamment pour assurer (par auto-financement) leur développement. La case du bas, à gauche, correspond à la situation inverse : celle des branches peu performantes au double titre : l'I.N.S.E.E. ne leur promet pas un bel avenir; reconversion sous les coups de la concurrence étrangère, à défaut d'une modernisation à marche forcée.

Restent, les deux autres cases, qui correspondent aux situations paradoxales : en bas, à droite, les branches à productivité rapidement croissante mais à taux de profit faible; en haut, à gauche, celles à haute rentabilité mais dont l'efficacité est inférieure à la moyenne. Comment expliquer ces situations? Par les transferts internes à l'économie, opérés par la politique des prix : celle-ci empêche les branches hautement productives de bénéficier de leurs performances techniques, tandis qu'à l'inverse des secteurs où le progrès technique reste faible (parfois parce qu'il ne peut pas en être autrement, dans les branches tertiaires notamment) doivent pouvoir payer des salaires aussi élevés qu'ailleurs ou faire face à une demande élevée (qui leur permet de pratiquer des prix rémunérateurs). Les premiers subissent les transferts internes dont profitent les seconds. Et il n'est pas indifférent de constater que les firmes pénalisées sont surtout publiques et les entreprises avantagées presque toujours privées.

G. Mathieu, L'année économique et sociale 1975, *Le Monde.*

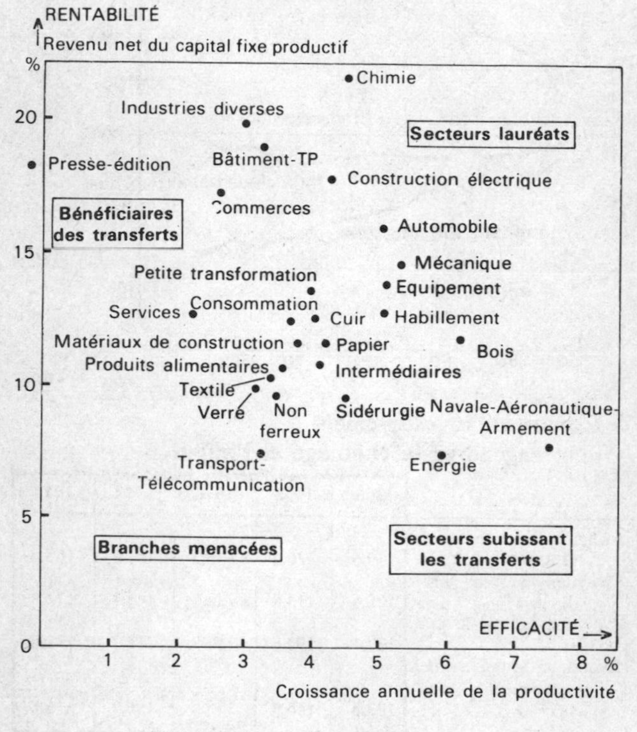

G. Mathieu, L'année économique et sociale 1975, Le Monde.

11. Un élément d'explication ?

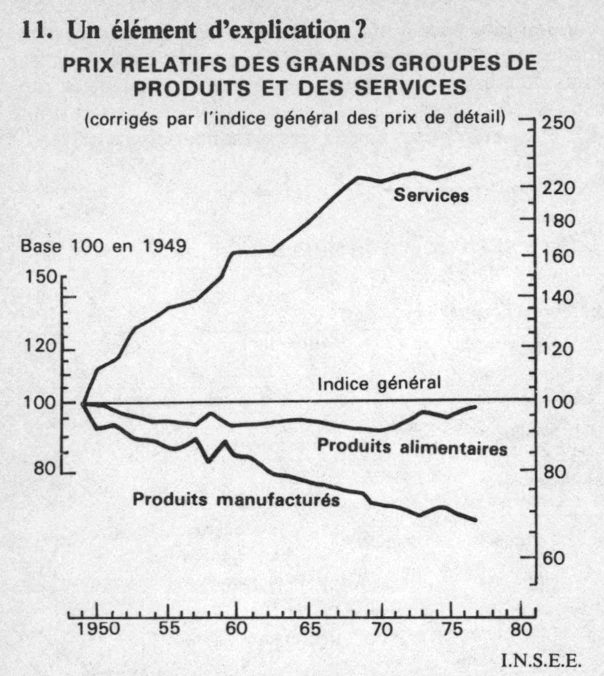

I.N.S.E.E.

12. Comment l'investissement peut engendrer le chômage et l'inflation

	1966	1968	1970	1972	1974
Évolution du volume de la P.I.B.[1]	110,6	120,5	136,3	151,8	165,5
Évolution du niveau général des prix[1]	105,6	113,8	128,6	144,1	172,6
Évolution du taux de chômage[1]	127,4	192,6	156,8	212,3	211,8
Évolution du volume des investissements productifs[1]	133,8	146,9	175	196,1	216,8

I.N.S.E.E.

Les entreprises rechercheraient, en plus de leurs investissements « de croissance », des investissements « de productivité » destinés à leur faire « économiser » du travail et à améliorer ainsi leur position conflictuelle dans le partage de la valeur ajoutée. [...]

C'est le désir d'accumulation physique des entreprises qui entretient une pression inflationniste de la demande. [...]

L'accroissement rapide et important de *l'accumulation des entreprises* entraîne des coûts (autofinancement et intérêts financiers) engendrant de très fortes pressions inflationnistes.

J.-Cl. Vassal, *Banque*, novembre 1975.

1. Indice d'évolution, base 100 en 1964.

6 Qui contrôle l'économie française?

Cinq chapitres de ce livre ont présenté les multiples changements qui ont affecté l'économie et la société française. On ne saurait terminer cet ouvrage sans s'interroger sur les instigateurs de ces mutations.

Le capitalisme familial n'a pas disparu (document 2) mais la bourgeoisie financière prend de plus en plus d'initiatives (documents 1 et 3). Sous d'autres formes, n'est-ce pas toujours le pouvoir de la même oligarchie?

L'internationalisation de l'économie française, la libéralisation des mouvements de capitaux ont facilité la pénétration du capital étranger. Que contrôle-t-il exactement? Existe-t-il un secteur de pointe où il ne soit pas présent? Quelles en sont les conséquences? (doc. 4, 5, 6).

Au lendemain de la Libération, les nationalisations des secteurs de base et des grandes banques de dépôts, la planification, le contrôle des prix... modifient l'image du capitalisme français (documents 7, 8, 9). De 1963 à 1981, l'État mène une politique de libération de l'économie qui s'accentue: retour à la liberté des prix industriels, politique de vérité des tarifs publics, réduction du rôle du Plan... (documents 10 à 13). Et pourtant, jamais l'État n'a autant fait parler de lui: plan Barre, plan de sauvetage de la sidérurgie, programme nucléaire... Contradiction apparente ou réelle? Cette ambiguïté cache-t-elle un projet précis?

Depuis 1981, la France semble s'orienter vers une emprise plus forte dans la vie économique dont les nationalisations sont un volet essentiel (documents 14 et 15).

A. QUELLES BOURGEOISIES DIRIGENT LES ENTREPRISES?

1. Le capitalisme s'est modifié

Les années 1960 à 1970 marquent un tournant, mais non pas, comme on nous le présente trop souvent, une rupture entre un capitalisme traditionnel, familial et protectionniste, et un autre système économique dont on ignorerait le nom : une autre civilisation centrée autour des grandes entreprises dynamiques et technocratiques. L'analyse que nous faisons ici montre la continuité sous les transformations, indique aussi que derrière les formes différentes que prend la structure du système industriel, il y a une même bourgeoisie qui se développe et se transforme. [...]

La permanence dans le capitalisme français du petit et moyen capital industriel n'avait pas empêché, dès la Première Guerre mondiale, la constitution d'un grand capital industriel, surtout dans la métallurgie et la chimie, les charbonnages, mais aussi dans le textile, l'automobile, la construction électrique, appuyé sur quelques grands trusts : Wendel, Pont-à-Mousson, Marine, Saint-Gobain, Kuhlmann, Péchiney, Boussac, Renault... De la prospérité des années vingt à la grande crise, de l'Occupation à la reconstruction, le grand capital industriel ne réussit pas à trouver les conditions lui permettant d'établir sa domination. A partir des années cinquante, au contraire, les poussées de la concurrence internationale avec l'internationalisation croissante des firmes américaines, la nouvelle insertion du capitalisme français sur le marché mondial, les nouvelles exigences de l'accumulation du capital contraignent la grande bourgeoisie industrielle, en même temps qu'elles lui en offrent la possibilité, à achever à son profit la *monopolisation* des principales branches de la production. [...]

De plus, des rapports d'alliances étroits s'établissent et se développent entre la bourgeoisie monopoliste industrielle et la bourgeoisie monopoliste bancaire. Durement touché par le déclin de l'impérialisme français et la nationalisation des grandes banques de dépôts, le capital monopoliste bancaire se reconstitue dans les années cinquante et soixante à partir des banques d'affaires qui ont échappé à la nationalisation (Paribas, Rothschild, Lazard, Neuflize-Schlumberger-Mallet, Worms...), et de capitaux, coloniaux ou contrôlés par la grande bourgeoisie minière, reconvertis (Suez et Union des Mines, Indochine). [...]

La bourgeoisie monopoliste bancaire, appuyée par le secteur bancaire nationalisé, joue un rôle primordial dans l'achèvement du monopolisme industriel, négociant ou imposant restructurations ou fusions au petit ou moyen capital industriel ou même parfois à certains secteurs de la grande bourgeoisie industrielle, et noue des relations permanentes avec les principaux groupes. L'alliance étroite entre bourgeoisie monopoliste bancaire et bourgeoisie monopoliste industrielle, matérialisée par des participations et des liaisons personnelles, se structure en ensembles financiers, fédérations de groupes industriels et bancaires (ainsi que commerciaux), dont les exemples sont fournis par les ensembles financiers centrés sur les groupes financiers Suez ou Paribas. Il apparaît que les groupes qui dominent désormais l'économie française ne relèvent plus du seul capital industriel ou bancaire, mais relèvent de la fusion des deux, sous la forme du capital financier. [...]

L'implantation en France des firmes étrangères se réalise souvent dans le cadre d'une alliance avec des capitaux industriels ou bancaires français : le groupe *Empain,* qui s'est allié aux Schneider et a trouvé la base d'un *modus vivendi* avec les Wendel, est lié avec la C.G.E. et avec P.U.K.; *Nestlé* et *Fiat* sont liés avec la banque Lazard et avec Paribas. Simultanément, les groupes français engagés dans un processus d'expansion et d'implantation à l'étranger ont accentué les liens avec des groupes industriels ou bancaires étrangers, s'insérant dans les réseaux d'alliances dominés par des groupes financiers américains : Suez, et les groupes qui lui sont liés, développe des alliances avec le groupe *Morgan,* Paribas et ses alliés avec le groupe *Mellon.*

P. Allard, M. Beaud, S. Bellon, A.-M. Lévy, S. Liénart, *Dictionnaire des groupes industriels et financiers,* op. cit.

2. Le contrôle familial reste important

F. Morin a étudié les 200 premières sociétés industrielles françaises en 1971 :

Les principales observations sont les suivantes :

1. Un nombre important de sociétés sont sous contrôle familial[1]. La moitié d'entre elles sont en effet dans cette situation.

2. Un nombre non négligeable de sociétés (56) se trouvent sous contrôle étranger.

1. *Contrôle familial :* [...] exercé par des familles ou des individus porteurs *directement* de la propriété économique.

3. Une quantité relativement faible d'entreprises se classent enfin dans les catégories de contrôle technocratique[1] (35) et étatique (8).

Si l'on examine maintenant les formes de contrôle, on s'aperçoit que les situations de contrôle majoritaire absolu (contrôle d'un seul actionnaire) sont les plus nombreuses (87 situations sur 200); trois causes expliquent ce phénomène :

1. C'est la forme de contrôle que choisit en priorité le capital étranger pour pénétrer en France. [...]
2. C'est également ce type de contrôle que retient le monopolisme étatique. [...][2]
3. Enfin, c'est une des formes secondaires du contrôle familial. [...]

On aurait pu penser que dans la phase actuelle de restructuration des entreprises françaises, le contrôle technocratique (bancaire ou même industriel) occuperait une place plus importante. Mais c'est loin d'être le cas ; on est donc amené à constater que l'accumulation du capital demeure en France largement prisonnière de ses cadres traditionnels. [...]

Si l'on fait le bilan actuel du poids du contrôle familial, secteur par secteur, on s'aperçoit que celui-ci reste prédominant dans les industries alimentaires, les boissons, le textile, la chimie, le caoutchouc, le plastique et le bâtiment. Par contre, son influence a décru pour devenir pratiquement nulle dans des secteurs aussi importants que la mécanique, le matériel électrique et les matériaux de construction.

F. Morin, *La structure financière du capitalisme français*, Éditions Calmann-Lévy, 1974.

3. La technocratie : un mythe ?

D.N.E.L.[3] reste dirigé par les descendants des fondateurs des firmes d'origine du XIXe siècle. [...] Tous les membres du Conseil sont fils d'administrateurs de sociétés, de banquiers...

A la C.G.E., on peut noter la présence de Richard Baumgartner (frère de Wilfrid Baumgartner, ancien ministre des Finances) qui siège aussi à P.U.K., à Peugeot..., gendre, ainsi

1. *Contrôle technocratique :* [...] exercé par des agents délégués, lorsque la propriété économique, divisée et surtout composite, ne peut s'exprimer qu'*indirectement*. [...] Il ne concerne réellement que de très grandes entreprises. [...]
2. *Contrôle étatique :* [...] lié à la propriété économique de l'État.
3. Denain-Nord-Est-Longwy.

que son frère, d'E. Mercier, « roi » de l'électricité entre les deux guerres; celle de P. Huvelin, gendre d'un autre magnat de l'électricité d'avant-guerre – Giros, fondateur de la S.G.E., maintenant intégrée au groupe C.G.E.; de J. Matheron, lui aussi gendre de Giros (et présent, comme les Baumgartner, aux côtés d'E. Giscard d'Estaing, au Conseil de Kléber-Colombes).

L'essentiel n'est pas de coller une étiquette – « capital familial » ou « capital technocratique » –, il n'est pas non plus de repérer 200, 100 ou 50 familles, il est de reconnaître que les liens familiaux sont l'un des moyens – peut-être le principal – par lequel la bourgeoisie, et en particulier l'oligarchie financière, assure et reproduit dans le temps son contrôle sur les capitaux [...] qu'elle met en valeur. [...]

Un changement d'alliance

L'avènement de la Ve République, au-delà des modifications constitutionnelles, signifie l'abandon du système d'alliances politiques qui avait été le fondement de la IIIe puis de la IVe République. Désormais, le personnel politique issu du radicalisme puis de la S.F.I.O., qui tenait depuis la fin du XIXe siècle les sommets de l'appareil d'État, est remplacé par un personnel lié directement à la grande bourgeoisie, relais immédiat des grands groupes qui investissent ainsi les places clefs où se déterminent les politiques économiques et financières.[...]

La technocratie, le pouvoir détenu par les techniciens, est un mythe. Les « énarques » qui réussissent sont en majorité des rejetons des grandes familles ou bien ceux qu'elles s'attachent. Le passage du public au privé, le « pantouflage », [...] est en fait une étape de l'itinéraire des membres de l'oligarchie financière.

P. Allard, M. Beaud, S. Bellon, A.-M. Lévy, S. Liénart, *Dictionnaire des groupes industriels et financiers*, op. cit.

B. LE CONTRÔLE ÉTRANGER

4. Les participations étrangères dans l'industrie

(au 1er janvier 1975)

Dans l'industrie française, les entreprises à participation étrangère supérieure à 20 % représentent environ 17 % des effectifs, 26 % des ventes hors taxes et 22 % des investissements, la part des entreprises contrôlées à plus de 50 % étant respectivement de 14 %, 22 % et 19 %. [...]

Les capitaux étrangers semblent s'investir de préférence dans les entreprises de grande taille. [...]

Répartition selon l'origine des principaux pays investisseurs

	Effectifs	Ventes H.T.
C.E.E.	42,2 %	47,2 %
U.S.A.	37,7 %	41,7 %
Reste du monde	20,1 %	11,1 %

Il apparaît que les implantations étrangères sont plus importantes dans les secteurs de biens d'équipement et, dans une moindre mesure, des biens intermédiaires que dans les secteurs de biens de consommation courante.

Les secteurs à forte pénétration étrangère (dans lesquels les entreprises à participation étrangère représentent plus de 30 %) s'articulent autour de la chimie et de l'industrie électronique.

Dans le premier sous-groupe, on trouve la production de pétrole et gaz naturel, la parachimie, la pharmacie, et le caoutchouc. Dans le deuxième, l'informatique (fabrication de machines de bureau et de matériel de traitement de l'information) et l'électronique ménager et professionnel.

Font également partie de ces secteurs à forte pénétration la production de machines agricoles, l'extraction et la préparation de minerai de fer.

Service de l'information du ministère de l'Économie, *Les notes bleues*, juin 1978.

5. Une approche verticale

Taux de pénétration[1] étrangère le long des filières[2]

de production alimentaire
(hachures proportionnelles à ce taux)

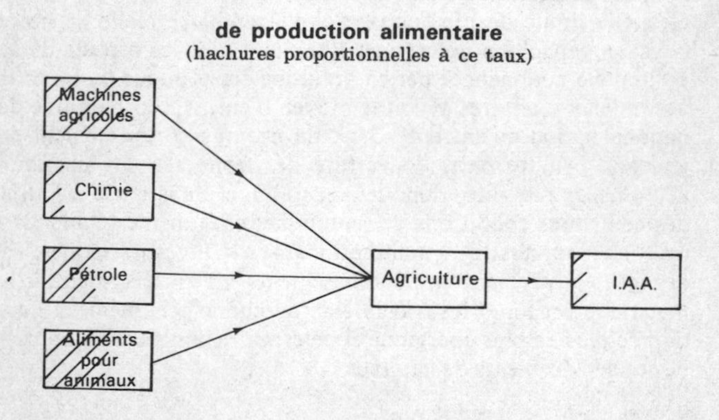

Taux de pénétration étrangère le long des filières de production de biens d'équipement

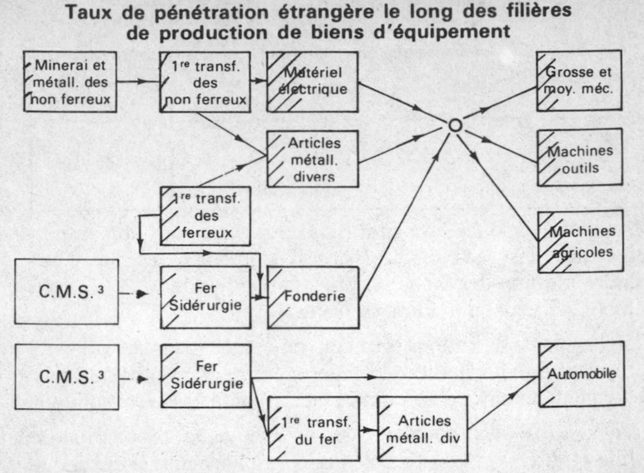

1. Pour représenter l'influence étrangère dans un secteur, on utilise le capital social des entreprises sous contrôle que l'on rapporte au capital social total des entreprises du secteur. [...] La suface hachurée de chaque rectangle est proportionnelle au taux de pénétration du capital social.

2. Filières : ensembles cohérents et ordonnés de branches le long desquelles les produits circulent de l'amont vers l'aval. Il s'agit donc de regroupements verticaux de branches, par opposition aux regroupements horizontaux plus classiques (biens de consommation, biens d'équipement, biens intermédiaires).

3. C.M.S. : combustibles minéraux solides

C. Gabet, *Économie et statistique*, juin 1975.

6. L'indépendance menacée

Les conséquences d'une telle internationalisation du capital sont doubles. D'une part, dans la mesure où elle touche les activités clés, elle limite de plus en plus l'indépendance réelle de notre pays; sa capacité à déterminer librement tous les aspects de sa politique à commencer par sa politique économique (une partie des milieux d'affaires y voit le moyen d'entraver la politique de nationalisation qu'entreprendrait un éventuel gouvernement de gauche). D'autre part, l'ouverture des frontières aux capitaux accroît leur mobilité, donc leur instabilité. Sans cesse à l'affût des meilleures conditions de rentabilité, elles-mêmes changeantes, les capitalistes « multinationalisés » investissent ici, se dégagent là, fermant des établissements industriels, mettant le matériel au rebut et les travailleurs au chômage... même si l'action de plus en plus énergique et déterminée des travailleurs freine ces déplacements de capitaux.

C. Gabet, *Projet*, n° 91, janvier 1975.

C. L'ÉTAT : DIRIGISTE OU LIBÉRAL?

7. A la Libération : forte intervention de l'État

Conformément aux grandes options du programme du Conseil national de la Résistance, les pouvoirs politiques en place à la Libération se sont engagés dans la voie d'une réforme profonde du capitalisme. [...]

Les objectifs poursuivis par les auteurs de ces modifications structurelles n'étaient pas identiques, voire compatibles. Les forces de gauche souhaitaient l'avènement d'un régime de type socialiste. Les autres forces politiques qui cautionnaient les réformes souhaitaient sauvegarder le système libéral. [...]

Dans le domaine de la production de biens et de services, les modifications structurelles les plus importantes résultent du train de nationalisation de 1945 et 1946. En deux ans furent créées, dans le domaine de la production, les grandes entreprises publiques que nous connaissons encore aujourd'hui : Charbonnages de France, Électricité de France, Gaz de France, Commissariat à l'Énergie atomique et usines Renault. [...] La S.N.C.F., pour sa part, déjà nationalisée en 1938, est devenue pratiquement une société étatisée depuis 1947. Mais à côté des grandes entreprises publiques proprement dites existent les *sociétés d'économie mixte,* dont certaines sont très connues, comme Air France, Air Inter, Sud-Aviation, les grandes compagnies d'aménagement du territoire (canal du bas Rhône-Languedoc, canal de Provence...) et d'autres le sont beaucoup moins, comme la Société de l'autoroute de l'Esterel...

Au total, sous une forme juridique ou sous une autre, les entreprises publiques françaises occupent aujourd'hui près de 15 % de la population active et elles détiennent la totalité du transport ferroviaire, la quasi-totalité du secteur énergétique, la majorité du transport aérien et maritime, la majorité de l'industrie aéronautique, la majorité des sociétés d'information et de publicité, le tiers de l'industrie automobile, le tiers de la consommation de logements, etc. Elles contribuent pour plus du quart à la formation brute du capital fixe. Mais c'est sans doute dans le domaine des activités financières que le rôle exercé par les pouvoirs publics s'est montré le plus déterminant pendant les années d'après-guerre. [...]

La réorganisation du crédit par la loi du 2 décembre 1945 qui met en place le *Conseil national du crédit,* la nationalisation complète de la Banque de France, des quatre grands établissements de dépôt et des plus grandes compagnies d'assurances donnent à l'État de puissants moyens de contrôle des institutions financières. Mais ce n'est pas tout. L'État contrôle étroitement la plupart des organismes de crédit spécialisés, comme le Crédit agricole, le Crédit national, le Crédit hôtelier, etc. Le réseau des Caisses d'épargne, les chèques postaux, la Caisse des dépôts et consignations fournissent régulièrement au Trésor les liquidités qui lui font défaut pour équilibrer au jour le jour les recettes et les dépenses quotidiennes de l'État. Le Trésor, par l'intermédiaire du Fonds de modernisation et d'équipement, devenu en 1954 le Fonds de développement économique et social, s'est substitué pendant longtemps au marché financier défaillant; en 1949, 47 % des investissements nationaux étaient financés sur fonds publics. Ce pourcentage est tombé aujourd'hui autour de 20 à 25 %. En assurant en partie la soudure de trésorerie de l'État, les « correspondants » du Trésor public ont déjà puissamment contribué, par conséquent, au financement des besoins vitaux d'équipement du pays. Mais, de plus, la *Caisse des dépôts et consignations* [...] a exercé un rôle spécifique croissant dans la vie financière. [...] La Caisse consacre, en effet, entre 75 et 80 % des dépôts qu'elle collecte auprès des Caisses d'épargne, de la Sécurité sociale, des caisses de retraites, etc., à des placements à long terme dans des secteurs vitaux de l'économie française. Elle est devenue la principale banque d'affaires du secteur public, le principal pourvoyeur de crédit de vastes secteurs de la construction immobilière (le secteur du logement social en particulier), et, de ce fait, le principal propriétaire immobilier de France. [...]

Sans doute le vaste secteur financier des « banques d'affaires » a-t-il échappé à la nationalisation et par conséquent au contrôle de l'État. Ces lacunes ont incontestablement émoussé les armes que s'était données l'État pour contrôler les circuits financiers.

M. Parodi, « Histoire récente de l'économie et de la société française », in *Histoire de la France* de G. Duby, Éditions Larousse, 1977.

8. Une expérience originale : le Plan

Dans la France de 1945, la planification de l'activité économique était souhaitée dans beaucoup de milieux. Le vent de réforme qui soufflait sur la France apportait, avec l'idée de nationaliser les secteurs clés, celle de substituer le Plan à certains mécanismes du marché qui n'avaient pas été en mesure, avant guerre, de remédier aux suites économiques et sociales de la grande crise des années 1930. [...]

Plus encore que l'idéologie, une appréciation réaliste de la situation du pays incitait à la planification, c'est-à-dire à la définition et à la mise en œuvre d'un dispositif permettant d'obtenir, à partir de moyens de production limités, la maximation du revenu national. [...]

La pénurie des moyens disponibles pour entreprendre cette tâche (équipements, hommes, devises, matières premières) imposait la nécessité de choix sévères.

Conférence faite à Londres par P. Massé, 22 avril 1961.

9. L'évolution des dépenses publiques

% dans la production intérieure brute	État	État + Collectivités locales	État + Collectivités locales + Sécurité sociale
1872	8,2	11,0	11,0
1938	20,1	25,6	26,5
1947	29,1	32,8	40,9
1956	36,0	42,4	51,7
1962	30,5	37,7	48,7
1971	27,5	35,4	49,8

Rapport Cordes, Cepremap, 1976.

10. De 1963 à 1981, l'État a mené une politique de libéralisation de l'économie

Le tournant a été pris lorsque le Plan de stabilisation conçu en *1963* par V. Giscard d'Estaing, alors ministre des Finances, commence à porter ses fruits, à partir de 1964 et 1965. [...] Il s'agit d'assagir la croissance et de poursuivre l'expansion dans la stabilité. L'accent est mis nettement sur la stabilité des prix, même si cela doit se faire provisoirement au détriment de la croissance. [...]

Ces moyens sont en effet révélateurs des préférences idéologiques des responsables de la nouvelle politique économique qui va se développer jusqu'à nos jours avec des fortunes diverses.

Les moyens qui nous paraissent les plus révélateurs de ce point de vue appartiennent au domaine des finances publiques.

Le but secondaire visé est le retour à l'*équilibre budgétaire*. Pour cela, au cours des années 1964, 1965 et 1966, on « modulera » la croissance des dépenses publiques sur celles de la production intérieure, on débudgétisera certains investissements dont on pense qu'ils peuvent être financés désormais par les ressources propres du secteur public, le marché financier ou les établissements de crédit spécialisés. Le retour à l'équilibre budgétaire [...] est la condition permissive de la neutralité du Trésor dans les circuits financiers. [...] Le rôle joué par l'État à travers le Trésor, le F.D.E.S.[1], la Caisse des dépôts et consignations dans le financement de l'économie nationale [...] paraît de plus en plus incompatible avec la logique profonde du système libéral. Il faut donc régénérer [...] *la Bourse et le marché financier en général.* [...]. *Il s'agit de faire cesser la « concurrence déloyale » exercée par le Trésor et ses correspondants privilégiés comme les comptes courants postaux, la Caisse des dépôts et consignations et son réseau de Caisses d'épargne, sur le système bancaire et les marchés financiers.* [...]

Désormais, c'est donc l'épargne privée qui doit retrouver ses droits au détriment de l'épargne publique afin d'exercer à nouveau son rôle régulateur. Il est par conséquent logique, pour les responsables politiques du moment, de favoriser sa formation au maximum, d'où les mesures fiscales du 15 juillet 1965 qui vont accorder des avantages considérables d'une part aux porteurs de valeurs mobilières (avoir fiscal de 50 %) et d'autre part aux entreprises.

A travers cet arsenal de mesures techniques convergentes, nous retrouvons les fondements de la *croyance orthodoxe libérale :*

– *le dogme de l'équilibre budgétaire qui signifie plus profondément la nécessaire limitation des fonctions de l'État :*

– *la supériorité de l'épargne privée sur l'épargne publique* (entendons par épargne publique, celle collectée par le circuit du Trésor et redistribuée par lui en dehors du marché financier). [...]

On ne peut donc pas nier qu'une évolution importante se soit produite depuis 1963 dans la politique économique et par conséquent dans les rapports de l'économie publique et de l'économie privée, *cette évolution s'effectuant dans le sens d'une libéralisation* de l'économie nationale.

M. Parodi, *L'économie et la société française de 1945 à 1970*, op. cit.

1. Fonds de développement économique et social.

11. Dépenses de l'État rapportées au P.I.B.

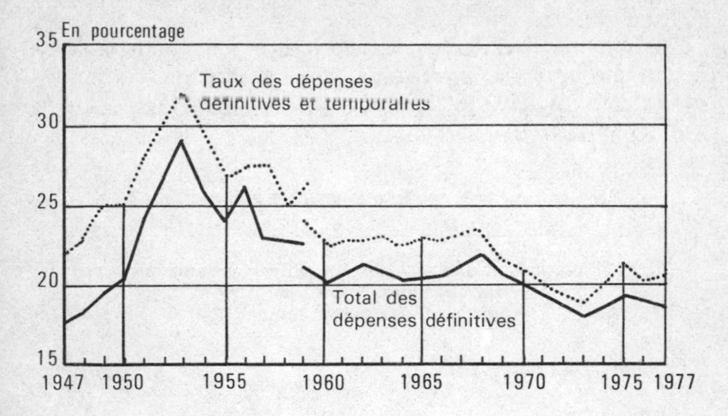

N.B. — Les séries 1947-1959 et 1959-1977 ne se raccordent pas exactement compte tenu de la modification du concept de P.I.B. en 1959.

Sources: « Évolution du budget de l'État 1947-1972 », *Statistiques et études financières*, numéro spécial, 1974 et « Évolution du budget de l'État de 1947 à 1977, *S.E.F.*, op. cit.

12. Le plan : un rôle de plus en plus réduit

Depuis le Premier Plan, l'évolution générale de la planification française peut être caractérisée de la manière suivante :

- quant aux domaines d'intervention de l'État où s'exerce la planification, un élargissement continu [...]

- quant à la nature de l'intervention de l'État à travers le Plan, on constate un phénomène parallèle de glissement. Qualifié d'impératif lorsqu'il traite des secteurs prioritaires, le Plan n'est plus qu'indicatif lorsqu'il s'élargit à l'ensemble des secteurs. [...]

Ces évolutions ont d'abord une signification quant au rôle de l'État qui est allé en se réduisant, ou en se subordonnant aux stratégies des grands groupes industriels et financiers, dans le domaine productif, en se limitant essentiellement au réglage de la conjoncture dans le domaine économique, et s'est certainement élargi dans le domaine qualifié de « social ». [...]

D. Wallon, *Projet*, janvier 1975.

13. De la « privatisation »...

Définie dans ses grandes lignes dans le rapport de S. Nora sur les entreprises publiques de 1967, cette « privatisation » connaît [...] une mise en œuvre très rapide.

De nombreux services sont supprimés et leurs activités confiées à une entreprise privée ou à une filiale créée à cet effet — cas notamment des activités d'entretien et de nettoyage.

A. Granou, *La bourgeoisie financière au pouvoir*, op. cit.

Les entreprises publiques, un rôle anticyclique ?

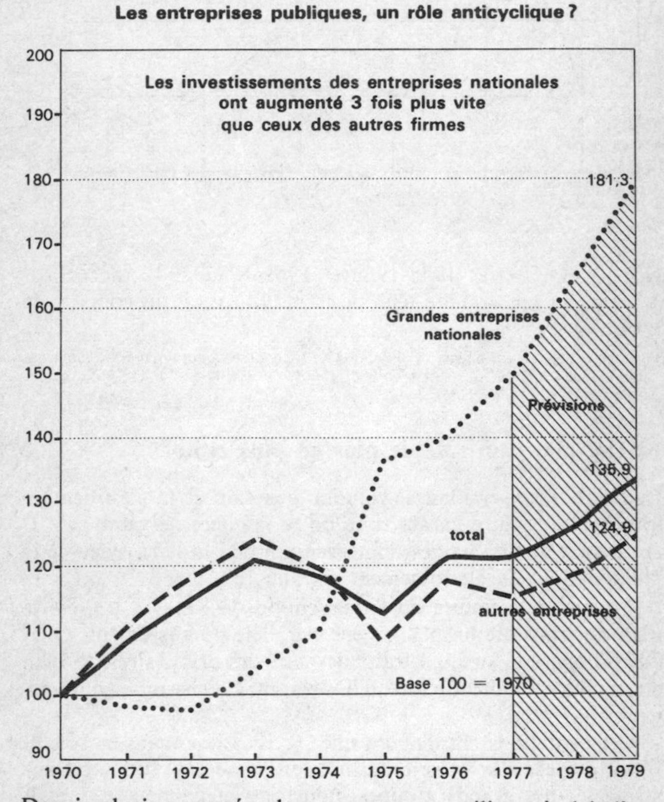

Depuis plusieurs années, le gouvernement, utilisant à plein l'une de ses armes économiques principales, demande au secteur public de ranimer une conjoncture anémiée

G. Mathieu, *Le Monde*, 10 octobre 1978.

14. ... aux nationalisations

Elles portent, on le sait, sur [plusieurs] groupes industriels : Dassault, Rhône-Poulenc, Thomson-Brandt, Pechiney-Ugine-Kuhlmann (PUK), Saint-Gobain-Pont-à-Mousson, Compagnie générale d'électricité, plus la partie armement de Matra et la partie nucléaire de Creusot-Loire (du groupe Empain-Schneider). Au total, plus d'un million de personnes, avec les filiales, et plus de 350 milliards de chiffre d'affaires, soit 28 % de l'industrie française (et 50 % avec les nationalisations déjà effectuées). Le transfert à la puissance publique de la sidérurgie, des banques et des assurances sera achevé.

Un tel programme prend le contre-pied du néo-libéralisme giscardien, moins « pur », au demeurant, que celui de Mme Thatcher ou de M. Reagan. Son postulat de base est que ce néo-libéralisme est incapable de répondre aux besoins du pays, et qu'il n'est pas admissible de laisser à l'initiative des grands groupes privés, guidés par la recherche du profit, le soin de définir les grandes orientations industrielles.

F. Renard, *Le Monde*, 8 mai 1981.

15. Le programme de M. Mitterrand

[...] Le souci d'une plus grande justice apparaît en premier et sous de multiples formes : salaires augmentés et impôts supprimés pour ceux qui gagnaient peu ; épargne populaire indexée sur les prix ; fiscalité alourdie pour les plus favorisés. C'est aussi le souci de la justice qui faisait placer au premier rang des préoccupations de M. Mitterrand la réduction du chômage, puisque chacun a un droit naturel au travail. Justice aussi que de proposer d'interrompre plus tôt le travail quand ceux qui arrivent à soixante ans ont derrière eux des années de labeur pénible.

Mais une autre préoccupation se fait jour dans le programme de M. Mitterrand : celle de l'efficacité. Le socialisme du XIXe siècle se souciait presque uniquement de répartition. Celui de M. Mitterrand insiste beaucoup sur l'accroissement de la production, seule capable de réduire le chômage et d'améliorer le niveau de vie de la population. [...] La nationalisation de [plusieurs] groupes industriels et des banques donnera à l'État toute latitude pour agir.

A. Vernholes, Bilan économique et social 1981, *Le Monde*, janvier 1982.

Directions de travail

Thèmes de débats et d'études

- ☐ Quels sont les changements majeurs qui ont affecté la société française depuis 1945 ?
- ☐ En quoi les années 60 marquent-elles un tournant ?
- ☐ Quelle politique a marqué le changement de majorité en 1981 ?
- ☐ Les différents aspects de l'internationalisation de l'économie et de la société françaises.
- ☐ Les forces et les faiblesses de l'industrie.
- ☐ L'État est-il dirigiste ou libéral en matière économique ?
- ☐ En quoi le capitalisme français a-t-il évolué ?

Quelques ouvrages

— INSEE : Données sociales 1974-1978
Tableaux de l'économie française 1981
Fresque historique du système productif 1974
Économie et statistique.

— Hatier, Profil Dossier :
Les nationalisations
Les paysans en France - Le chômage
Les syndicats - La division du travail

— J.-M. Albertini, *L'économie française*, Le Seuil, 1978.

— J. Carré, M. Dubois, E. Malinvaud, *Abrégé de la croissance française*, Le Seuil, 1973.

— P. Allard, M. Beaud, S. Bellon, A.-M. Lévy, S. Liénard, *Dictionnaire des groupes industriels et financiers*, Le Seuil.

— J. Attali, *La nouvelle économie française,* Flammarion.

— C.E.R.C., *Les revenus des Français*, 1977.

— A. Cotta, *Inflation et croissance en France depuis 1962,* P.U.F., 1974.

— A. Granou, *La bourgeoisie financière au pouvoir,* Maspero.

— F. Morin, *La structure financière du capitalisme français,* Calmann-Lévy, 1974.

— C. Stoffaes, *La grande menace industrielle*, Calmann-Lévy.

Imprimé en France par l'Imprimerie Hérissey - 27000 Évreux
Dépôt légal 6320 - Avril 1983 - N° d'impression : 31952